小鳥たちの計画

BIRDS PLAN
ARAUCHI YU

荒　内　佑

筑摩書房

小鳥たちの計画　目次

装丁　柳智之

小鳥たちのボイジャー計画

誰かが喫茶店やファミレスで、家で、公園で、車の中で、歩きながら、ピーチクパーチク喋っている。「tweet」が「小鳥のさえずり」ではなく「つぶやき」と意訳されるずっと前からだ。

与太話に限らず、音楽の構想、創作小話、社会について、加えて大学教授が聞いたら気絶しそうな信憑性が全くない哲学の議論、学者が聞いたら失神しそうな独自すぎる文学論、評論家が聞いたら苦すぎる苦笑をするだろうトンデモ映画論、それらの当てずっぽうな接続と切断。つまりはどこにでもいる、何かを作ろうとしているけれど何者でもない子供のさえずり。ひとまずそれを小鳥たちの計画と呼んでみる。ソ連のスプートニク計画とか、池田勇人の国民所得倍増計画とか、ロブ＝グリエのニューヨーク革命計画とか思い出すと何か目論見でもあるようだけど、小鳥たちは目的もなくただただ喋っている。時折そんなさえずりから無責任な計画が立ち上がってしまう。

甲州街道沿い、東京の郊外にある国立府中インターチェンジ近くの「ガスト」。そこへ深夜に友達と二人で行ったのはずっと前のことだ。その店舗はあの眠そうな目をしたヒバリが描かれた旧「すかいらーく」の一号店として知られている（TM NETWORKの結成地としても一部では有名）。最寄り駅から歩いていくには遠く、車も持たない自分たちがどうして深夜に郊外のガストに行ったのか、それは未だに謎だ。はっきりしているのは自分たちは今よりずっとヒマで無限に時間があった。いつのことかは忘れてしまったが、明確なのは二〇一一年よりも前のことだった。

郊外のファミレスといえば、ヤンキーが頼んだ山盛りポテトフライ、長距離運転手の仮眠、恋人たちの痴話喧嘩みたいなものが空気のように漂っている。エドワード・ホッパーの「ナイトホークス」（夜鷹＝宵っ張り）のように、闇夜に浮かぶレストランは時折、宇宙空間を彷徨う探査機を思い出させる。僕らは甲州街道が見える窓際の席に陣取ってドリンクバーを注文し、しばらくすると、どちらからともなく架空の映画のプロットを考えることになった。インターの近くだったし、国道を見ていたら思いついたのかもしれない。自分たちが考えた映画は、東京を中心にして関東一帯に大地震が来る、という設定だった。地震によって東京は壊滅し、ライフラインが途絶える。主人公はそれほど被害が大きくなかった静岡の御殿場に住んでいるカメラマンで、東京の友人たちを車で救助に向かう、というロードムービー。しかし、途中で車はガス欠になり山中で立ち往生し、カメラマンは泣きはらす。そこでガコンっとハンドルを叩くと車のバッテリーだけ生きててラジオがつき、音楽がかかる――絶対イイよ、Aちゃんに撮ってもらおう、音楽は俺がやる、と僕らは興奮した。だが次第に、友人が演技をすることと現実の彼とのギャップに気付き始めると笑いが止まらなくなる。勝手に恥ずかしくなり、深夜ノリも相まって文字通りソファで笑い転げる。ヒー。もちろんこの映画が撮られることはなかった。しかし、もしその計画が実現してフィルムの中に友人が収められたとしたら、役者でもない普段の彼と演技をする彼を見分けられるだろうか。ロケット打ち上げニュースとスタジオのセットで撮影された宇宙船がカットバックでつなぎ合わされると虚実が曖昧になるように、同じフィルムに焼き付けられたドキュメントと劇映画を見分けられるだろうか（あるいは、文字の上で小説とエッセイを見分けられるだろうか）。

闇夜に浮かぶレストランは時折、宇宙空間を彷徨う探査機を思い出させる。真夜中、郊外のガストはそんな気分にさせるには打ってつけだ。無責任で途方もない小鳥のさえずりを乗せた宇宙船。たとえばそれが一九七七年のボイジャー計画で打ち上げられた探査機だったとしたら。そこには、異星人へのメッセージが吹き込まれた、かのゴールデンレコードが搭載されている。五十五の言語の挨拶と地球の自然現象を収めた画像、世界の音楽、犬、羊、クジラの鳴き声、小鳥たちのさえずり。ゴールデンレコードの小鳥たちは何を喋っているのだろう。どうでもいい与太話かもしれないし、映画の計画かもしれない。異星人が聞いたら気絶しそうな信憑性が全くない哲学の議論かもしれないし、独自すぎる文学論、トンデモ映画論かも知れない。NASAはそんなことも分からずに太陽系の彼方へ小鳥のさえずりを放出してしまった。ボイジャー計画は失敗だったと言わざるを得ないだろう。

電線の上でぼくらは出会うべき

夜中に散歩をしていると発見がある。知らない道だったり、百円自販機や、思わぬ場所に公園を見つけたりする。人通りが少なかったら外観が気になる家を観察するのも面白い。ちょっと前に散歩をしていたらまだ人が住んでいない四棟の集合住宅をみつけた。なぜだか昔から、こういった建設中〜入居者募集中の建物にそそられる。今は外から眺めるだけだが、そういったものを見つけると引き寄せられてしまう。解体中の家が好きだという友達がいて、彼は夜中に写真を撮りにいったりするらしい。親戚のようなタイプなので気持ちは分かる。

子供の頃は中に入ることがよくあった。世間で言う不法侵入だが、もちろん全て時効だ。作りかけのマンションの一室や、友達が引っ越していったばかりの空き家に突入してみたり（なぜか鍵がよく開いていた）、猫みたいに住宅街の塀の上を歩いて探検したりする。この「猫みたいなやつ」は小学生の時、本当にハマっていた。別に他人の家を覗きたいわけではなく、純粋に冒険として楽しんでいたが不可避的に人様の家の中が見えてしまう。お風呂に入っているばあちゃんや、自宅からものすごい近所なのに一度も会ったことがない人——身体的な理由で外出出来ない人も含め、色んな人がいた。漫画みたいな話だけど、ホウキを持って怒り狂うジイさんに追いかけられたこともある。こういう遊びばかりしていると、自分が住んでいる町の成り立ちが全く違って見えてくる。ハトやスズメにとって電線や電柱が止まり木であるように、カラスにとって人間のゴミ捨て場がエサ場であるように、自分にとって「塀」は家と家の境界であると同時に、遊び場であった。あそことあそこの塀が繋がっていて、この家の壁を登るとあそこの家の駐車場に出るな、というようなダンジョンだ。塀の上で野良猫と鉢合わせするなんてのもしばしばだった。

侵入好きなのは十代の間ずっと続いていた。東京の吉祥寺という街に、かつて某電気屋があってデカい立体駐車場が併設されていたが、外に非常階段があってそこもこっそり入ったりしていた。上の方まで登ると新宿の都庁や東京タワー、都心の方が霞の中に見える。だからあの非常階段はＲＰＧでいう裏面へ通じる、隠し扉のような存在だったといえる。そこから吉祥寺を見渡すのは、新しいマップをゲットした時みたいな気分だった。

夜の学校のプールもご多分に漏れず侵入した。そのプールは三階建て体育館の屋上にあって、壁に打ち付けられた避難用ハシゴを登ったのは今考えると恐ろしい。その時、友達の一人が服のままプールに飛び込んだ。そうすると誰かが水の中に突き落とされる。堰を切ったように、皆なだれ込んだ。

「１９７９」というスマッシング・パンプキンズの曲がある。過ぎ去った十代を回想するような彼らの代表曲だ。ＭＶも素晴らしい。舞台は住宅地（決して都会ではない）。何をするでもなく車を乗り回すアメリカの典型的なティーン達。ホームパーティーの狂乱。バスルームで抱き合う男女。デコレーションのように木に向かって投げられた無数のトイレットペーパー（その美しさよ）。コンビニでの行き過ぎた悪ふざけ。そして服のまま他人の家のプールに飛び込む。プールサイドのテーブルもイスも投げ込まれる。水しぶきが上がる。不法侵入といえば、このビデオの、このシーンを思い出す。
あまりに有名な曲だが、もし知らなかったら聴いてみて欲しい。歌い出しはこんな感じ。

Shakedown 1979 / Cool kids never have the time / On a live wire right up off the street /
You and I should meet

拙い英語力で意訳すればこうだろう。

1979年を捜索／クールキッズには時間がなくて／路上から離れた電線の上で／
ぼくらは出会うべき

好きなのは「電線の上で出会うべき」だ。a live wireとは生きているワイヤー、つまり電気が流れている電線のこと。どうして「電線」なのか——それは街に組み込まれた裏道だ。不法侵入は路上の目線から隠れて行われる。電線は塀や、避難用ハシゴ、非常階段と言い換えられるだろう。空き家でも、作りかけのマンションでもいい。日が当たる道はつまらない。整理された街並みも面白くない。猫のように塀の上を歩く。避難ハシゴをよじ登る。非常階段を上がる。退屈な街で動物のように遊ぶ。そうすると裏面があらわれる。そこでぼくらは出会うべき、と歌っているのだ。

昨日の夜、散歩がてらコンビニに行く途中で無性に「1979」が聴きたくなったので、YouTubeで検索してiPhoneのスピーカーで歩きながら聴いてみた。夜中の散歩といっても粗大ゴミ用のシールを買いに行く程度だったのだけど、少しだけ楽しい気分だった。

誰とも共有されなかった夜について

「ビッグダディじゃん……」

姿見に映った自分を見て、そして思わず口にした〈ビッグダディ〉というワードに、二度笑ってしまった。ホテルに常備されたタオル地の赤い甚平に、メガネ、頭にバスタオルを巻いた自分がそこにいる。（ヒゲがあったら完璧だったな）と顎をさすりながら鏡を覗き込むぼくは、しかし、ビッグダディの番組を一度も見た事がないので彼の本名も、実際はどんな服装をしているのかも知らない。今度は防寒用に持って来た迷彩柄のジャケットを着てみる。軍服からはみ出た六分丈の甚平……このまま外に出たらマズいだろうか。さっきホテルへ来る途中に見かけた「混浴」と書かれたのぼりを確かめに行きたい。再び笑いが込み上げて来るのと同時に、頭がまた痛み、吐き気がした。

結局、服を着替え外に出る。秋田の横手市駅前。時刻は深夜一時を回ったところだ。閑散とした国道沿いにあるのは、ラーメン屋、マック、コンビニ。十一月に吹く東北の風は想像以上に冷たく、酔った頭が次第にクリアになる。この日は母方の祖父の葬儀だった。火葬を待つ間も、式が終わって開かれた会食でも酒を飲み続けていた。親族が入れ替わり立ち替わりやって来ては勧める酒を無下に断る訳にもいかなかったのだ。ちょうど連日行われていたバンドのリハーサルが終わり、一日空けて翌日からはツアーが始まる、ぽっかりと空いた日だった。その事を叔母に話すと「ユウくんに会いたかったんだよ、おじいちゃんは」と言った。叔母は出会った人間に多少ならずとも感銘を与えるほどに優しい。

十一歳か十二歳の時。家族全員が寝静まった深夜に一人で音楽を聴くのが好きだった。父親の倉庫から勝手に持ち出したオーディオアンプにヘッドフォンをつなぎ大音量で再生する。真っ暗な部屋の片隅、CDデッキのLEDとアンプのVUメーターの明かりだけが光り、毎晩このまま泡を吹いて倒れるんじゃないかと思う程、恍惚としていた。宇宙船のコックピットを彷彿とさせるそのセッティングは大人になって経験したどんなクラブよりも刺激的だった。特定の宗教を信じないぼくは、死後の世界を漠然とイメージする時、この夜のことを思い出す。誰にも見つからず、興奮しきって自分のことすら忘れていると、生死の境が曖昧なものに感じてくる。

再び火葬を待つ間。酒と軽食が用意された部屋に通され、「見覚えはあるが自分とどんな関係なのか分からない親戚」と対面で座る。七十代後半くらいの男性。話すともなく酒をひたすら酌み交わしていると「わけうちは（若いうちは）酒飲まねばならん」というパンチラインから突然昔話が始まった。〈俺がまだ若かった頃、下戸だったけんども地元の消防団さ入り、寄り合いなんかある日には潰れる程飲まされて（酒の）訓練をした。次第に飲めるようになり酒が好きになった。ある雪の降りしきる寒い日、例のごとく深夜まで酒を飲み帰宅したものの、鍵を忘れていた。嫁さんが起きているはずなのにいくらノックしても出てこない。当時は携帯電話もなかったので近くの公衆電話まで歩き家に電話すると速攻で嫁が出た。ということが三度あった〉

……秋田弁が最初のあたりしか分からなかったので母親に通訳を頼んだ。適当に相づちを打ちながら、その場面を脳内で再生してみる。寒空から降る雪、軋む靴音、酔った体、面倒臭さ、闇夜に光る公衆電話。

火葬が終わって骨を拾う。葬儀の参列者を見るともなしに見渡す。見慣れた親戚、見覚えはあるが自分とどんな関係なのか分からない親戚たち、両親、叔父叔母、従兄妹。ここにいる人たちにも、もちろん祖父にも、誰とも共有していない、しかし一生記憶に残る夜があったはずだ。人に話すか話さないかは、さほど重要ではない。一人の夜は一人でしかあり得ないのだから。それは死後の世界のようでいて、誰もが経験することだ。

誰かを亡くし、その人が自分と近しい関係であればある程、自分が触れ得ない夜がある、という当たり前のことを痛感する。時間を共にすることができないという点において、一人で夜を過ごす者が生きていることと、この世にいないこと、そこにどんな違いがあるのだろう。

葬儀が終わった翌日は朝早くホテルをチェックアウトし駅へ向かった。「混浴」ののぼりは見つからなかった（幻視？）。ひとまず最寄りの新幹線が停まる駅まで鈍行で向かう。電車に乗ろうとしたまさにその瞬間、晴天から一変して急に土砂降りの雨が降ってきた。乗換駅に着くと見事なまでの天気雨に変わり、新幹線を待つ人たちは皆、改札内から外を眺めていた。雲の切れ間を指差し何か話している夫婦、一眼レフを取り出す初老の男性、ひたすらガラケーでシャッターを切る団体の観光客。この人たちがどんな人生を送っているかなんて自分は全くあずかり知らないが、秘めやかな夜を内に抱え、束の間、誰かの死や天気の元に集っているのだろう。

By chance, David

ツアー先で、ちょっと古びたビジネスホテルに泊まることがある。演奏会場の近辺にあらかじめ移動して宿泊することを「前乗り」というのだけど、この日は集合時間までだいぶ時間を持て余していた。そこは札幌市内のホテルで、カーテンの隙間から霙《みぞれ》が降っているのが見える。暖房を消して寝たせいで部屋がだいぶ冷えていたのでスイッチをつけ、部屋が暖まるのを待ってからベッドを抜け出す。前日に買っておいたヨーグルトに青汁の粉末を混ぜて食べるというのが、だいたいツアー中の朝食だ（そんなに不味いものではない）。

ホテルのベッド脇には時折、ラジオが埋め込まれている。そのほとんどがアナログ式で、周波数が書かれたゲージに半透明のバーを合わせてチューニングする古いタイプのものが多い。自分の記憶では国内外を問わず、ホテルでデジタル式のラジオに遭遇したことは一度もない。気まぐれに電源を入れてみると、ほぼ半分の確率で壊れていて、残り半分の確率で音が出る。大人になってからラジオを聞く習慣がないのだけど、こうして偶然に偶然がいくつか重なった時にだけラジオを聞く。もちろん移動中の車とか、たまたま入った蕎麦屋とかで耳にはするのだけど、積極的にスイッチオンするのは年に一回あるかない程度だ。なので、僕にとってラジオは、作法も、記憶も二十世紀のまま止まっている。このホテルのラジオは作動した。

子供の頃も熱心なリスナーだった訳ではないのだけど、一九九八年か一九九九年にオンエアされた「レディオ・サカモト」のことは覚えている。たしか番組自体は不定期で、リアルタイムで番組を聞いたのは二、三回しかない。だけどカセットに録音して何遍も聞いたから内容は思い出せる。あのボソボソ声、村上龍がいうところの「演劇性と歌心というものを百パーセント排除した話し方」でリスナーから送られたデモテープを紹介するコーナーがあった。曲はもちろん、投稿者の名前まで記憶している。「キョウゴクカズヒロ」「ワサダ」「オトエモン」の三名が教授のお気に入りだった。

中でも「ワサダ」の「ムーンライト」という曲はシンプルさも手伝って僕は今でも弾ける自信がある（全てのハーモニーがメジャーセブンで出来ていた）。それはともかく、「サカモト・ワークス」というコーナーでは過去の教授関連作品を紹介していた。そこで当時、急逝したギタリストの大村憲司を偲び、故人が参加した矢野顕子の「在広東少年」と「David」がかかった。「在広東少年」はギターのリフが印象的なYMOメンバーが参加したダンスチューン。「David」はミディアムメロウなAORといった趣き。どちらの曲も自分のお気に入りとなり後日CDを買いに行ったのだけど、特に「David」は印象深い。

この曲ではどこかにいる親しい誰か＝「デヴィッド」への呼びかけが何度も行われる。具体的にデヴィッドが誰なのか、デヴィッド・ボウイ、デヴィッド・シルヴィアン、もしくは聖書に登場するダヴィデと諸説あるらしい。だけど英語圏での一般的な男性名、つまり誰でもない誰かの名「David」というのが一番しっくり来る（たとえば僕の名前は「ユウ」といってありふれているし、男性名でも女性名でもいいし、英語圏なら二人称として通じるが、自分の固有名でもある）。これは距離についての歌だ。遠い場所にいる、あるいは近い場所にいるあらゆる誰かに気まぐれに届いてしまう個人的な呼びかけ。それはどこからか発信された電波がベッドルームのチューナーまで飛んでいくようなラジオの在り方を思い出させる。だから僕にとってラジオといえばこの曲だ。

ホテルでグリグリとツマミを動かしてチューニングすると、自分の意思とは無関係に、音楽や、お喋り、ニュースが流れて来る。ハンディアイロンで今日着るシャツのシワを伸ばしながらラジオを聞く。スチームで窓が曇る。もしラジオを介さずに自分の意思で「David」のCDを買って聴いていたら、どうなっていただろう。これから死ぬまでの間、ラジオがベッド脇に埋め込まれたホテルに泊まり、それがちゃんと作動することは何度あるだろう。そこで、もしかしたら偶然に「David」がかかる日なんてあるんだろうか。「たまたま」というのがどれほどロマンティックなものか、そんなことは誰でも知っているけれど。

秘儀

長いツアーを回る。連日の演奏と移動で疲弊し切って来る。とはいえ、ホテル生活を愛しているので自分は割と楽しんでいることが多い。散らかし放題で出かけても部屋に戻ると枕カバーもシーツも定規で引いたように直線上に成形されている。タオルは取り替えられ、ゴミもなくなっている。灰皿もピカピカ。全てが新しくなっている。それに高松の古いホテルの前にはガラス張りのバーがあって、閉店して店の明かりが消えるまでの始終を部屋から観察できる。喉が渇いたらエレベーターホールの自販機で缶コーヒーを買って、プラスチックコップに流し込む。製氷機から氷も入れる。長崎のホテルではベッドで目を閉じて横たわっていると路面電車のモーターと線路の軋みが聞こえる。名古屋の錦にあるホテルで窓を開けると、風俗街を行き交う酔っ払いと黒服の駆け引きが窓から入ってくる。熊本のホテルで外を見ているとと往来するデリヘルの表情まではっきり見て取れる。送迎の運転手は車中で携帯をいじっている。ニューヨーク、ロングアイランドの安宿からは地下鉄が地上に出て高架にあがってくる所が見える。どこか蒲田の街並みに似ている。ホテルの朝食が凄まじくマズく、なぜかそのマズさにハマってしまい毎日マッズい朝飯をとっていた。上海のホテルは何の間違いか高層階のスイートルームで、ガラス張りの風呂にテレビが埋め込まれている。眼下の屋内プールで誰か泳いでいる。不思議とどこのホテルでもすっと眠れる。他人の営みを感じられる方が安心できる気がする。疲れているだけかも知れない。

それでも時間を持て余すことがある。演奏がない日は一人で夕食に出て散歩してからホテルに戻る。本を読むには集中力が続かないし、地元CMもほとんど見尽くしてしまう。ペイチャンネルの視聴はすぐ終わってしまう。寝るには早い。そういう時は好きな英語曲の翻訳を試みる。ホテル生活と酒ですっかり頭がやられて良い気になっているので、そんなことを始めてしまう。なるべく簡単な単語で出来た名曲「This Must Be The Place（Naive Melody）」や「Clouds Across The Moon」なんかがイイ。時にはラップに手をつけるがスラングばかりで難航する。知らない単語は検索して、ホテル名が印刷されたメモ用紙に書き込む。たとえばalienated。疎外。ジョーイ・バッドアスのとある曲に「Sometimes I feel alienated」というラインが出てくる。「疎外」だと重いので、時々エイリアンみたいな気分になる、とする。フム。なんか旅生活にピッタリだ。どれほど聴き込んでいる曲でも歌詞を改めて見ると必ず発見がある。必ず。それに勝手に意訳しても誰にも怒られないのがイイ。

映画『脳内ニューヨーク』の主題歌でもあるジョン・ブライオンの「Little Person」なんか明快な単語で出来ているし、何より曲が素晴らしすぎる。歌とピアノとウッドベースの静かな曲。女性ボーカルなので「私」と訳すべきだろうが、主演のフィリップ・シーモア・ホフマンを想定して「僕」にしてみる。この曲で何度も繰り返し登場する形容詞「little」は、「小さい」つまり「ちっぽけな」という意味から、転じて「ありふれた、ささやかな」と取るのがよさそうだ。「リトルパーソン」は、どこにでもいる「ありふれた人間」のことだろう。「ありふれた言葉」で書かれた「ありふれた人間」についての歌だ。

凪いだ水面で気泡が弾けるように、何かを思い出したかのように、この曲はふとI'm just a little person／僕はありふれた人間、と歌い出される。人の海を構成する水滴ほどに「ありふれた僕」は、ささやかな生活を送っている。ささやかな仕事、ささやかな食事、周囲と変わらない生き方――どこかホテル生活のようでもある。「302」や「705」のように名前を持たない部屋番号、同じような間取りの部屋で、同じ歯ブラシで歯を磨き、同じバスタブに浸かり、同じパジャマで同じタイプのベッドに眠る人たち――しかし、この曲はただ小市民的な慎ましさを歌っているだけではない。

この後にこういうラインがある。I'll find a second little person／僕はもう一人のありふれた人間を見つけるだろう。人の海の中、リトルパーソンは別のリトルパーソンに出会う。海から掌で水を掬い上げるように、ある日、ただの塊から名前を持った者同士に変わる。それは今まで意識しなかった英単語の羅列から意味を摑み取る作業にも似ている。

お手製アイスコーヒー、路面電車の軋み、風俗街のさざめき、仕事へ向かうデリヘルの顔、マッズい朝食をとる宿泊客、プールの水面を切る白い筋、そこには出会うことがないリトルパーソン達の気配がある。と、世界の秘密に触れた気がしたが、やはりホテル生活で頭がやられているのかも知れないし、曲が良過ぎるだけかも知れない。

現在位置ちょっと確認

毎年、甲子園はテレビでたまに見るのだけど、今年は一秒も見てない。噂によれば秋田の高校が強くて人気だそう。秋田出身の人が秋田代表を応援する、同じ道府県出身者の活躍を同郷の者が喜ぶ、というのはよくある話だけど、東京の人間が東京代表を応援するのはちょっと珍しい。上京してきた人間だろうが、東京生まれだろうが、仮に旅先で両者が出会っても「東京」だけでは何も盛り上がらない。

東京モンが結託するのは市区町村レベルにおいてだ。「調布」「葛飾」「足立」から話はようやく盛り上がる。かつての自分にとって、その盛り上がるラインというのが、吉祥寺であった。

僕が通っていた高校は吉祥寺の駅から自転車で十五分くらいのところにある都立高だった。イラストレーターの柳智之とはそこで知り合い、バンドも一緒にやっていた。僕は軽音に入るのが死ぬほど嫌だったのに、小中高の同級生である田畑くんことタバちゃんに本当にしつこく、死ぬほどしつこく「ねぇ、ユウくん、軽音入ろうよ〜」と連日誘われ、断るのがメンドくさくなったため入部した。しかし彼はいつの間にか日本語ラップにハマり、半年くらいで軽音に来なくなった（とはいえ僕に「さんピンCAMP」のVHSを家に行くたびに見せてくれたり、NITROやブッダブランド周辺を教えてくれたのはタバちゃんなのでそこは感謝している）。

軽音に居残った自分は、しかしその部室をなかなか気に入っていた。よくある話、僕は学校に昼過ぎに行くか、早いうちに帰るかのどちらかで――卒業はできたので授業にそこそこ出ていたはずだが――主に軽音の部室と吉祥寺の往復によって高校生活が構成されていた。なので、吉祥寺と部室はセットの思い出だ。その部室は、ロックや文化は「汚くなければいけない」という前時代のイメージをアイデンティティとしているようだった。さらにそれを強固にすべく皆が部屋を汚してインフレーションを起こしていく。壁中グラフィティが描かれてて、壊れたアンプや楽器がそこら中に転がり、ゴミ捨て場から拾ってきたらしい救いようがないソファがあった。そのソファの下にはコンドームや吸い殻が落ちている。古びた文化臭。僕は受け入れられないと思っていたその虚構にいつの間にか魅了されていた。なぜかそこだけが治外法権だった。自分にとって吉祥寺と同じ軌道上にある独立した衛星のようなものだった。

影響を受けた先輩も何人かいる。一方的にライブを見たりするのがほとんどだったが、例えば現在、森元斎は哲学を、前里慎太郎はラップを、尾林星はかつてファンタスタスというバンドをやっていた。

先輩達が府中のドトール等を主な縄張りとするのに対して、自分たちのそれは吉祥寺だった。レコ屋ならディスクユニオン、タワレコ、バナナレコード。映画はバウスシアター。喫茶店ならボア、ボガ、ドナテロ、タリーズの屋上、エコー、サムタイム、ドトール、サンマルク、珈琲家族。

二〇一八年現在、ZARAが入っているビルはかつてタワレコだった。その前には通称「タワレコベンチ」と呼ばれるものがあり、併せて灰皿も置かれていた。そこで友達とダラダラ喋り、ユニオンで中古CDを買い、珈琲家族で見せっこをする、というのが典型的な過ごし方だ。こんな話をしたらキリがない。その灰皿はタワレコ正面にあったショップの店主（YOU THE ROCK★似）が管理してくれていた。珈琲家族のマスターは明らかに学校をフケている自分達を看過してくれた。ユニオンジャズ館の横にあるゲーセンは朝一で行くとなぜかタダでプレイできた。

自分が今もやっているceroというバンドは高校を出てから始めた。練習、主なライブ、打ち上げもほぼ吉祥寺、メンツはちょっと変わったが、相変わらず高校の時と同じように活動していた。

しかし、時間が経つにつれて珈琲家族がなくなり、タワレコが移転し、バナナレコードも閉店し、喫茶店で残ったのはドトール、サンマルク、サムタイム。バウスシアターも閉館。そういえば軽音の部室は、とっくの昔に改修工事されて無菌室に成り果てた。

虚構だとしても、かろうじて生きながらえていた前時代の文化臭がなくなるとはどういうことか。それは行きたい喫茶店がなくなるということだ。つまり吉祥寺へ行かなくなる。「吉祥寺」を通じて結託することがなくなる。こういう話が大袈裟ならば、具体的には「ZARA」とか「サンマルク」の話題じゃ盛り上がらないだろー、ということである。しかし、それは自分とバンドの足場がなくなったということだ。

戦場のｉＰｏｄとこの世界の片隅に

戦時下における音楽の利用について、検索をかけたら恐らく腐る程テキストが出てくるだろう。実際にぼくが検索窓に打ち込んだのは「イラク戦争ｉＰｏｄ」「Ｉｒａｑｗａｒ ｉＰｏｄ」だった。というのも、イーストウッドの映画『アメリカン・スナイパー』のとある場面で、スナイパーの耳元に突っ込まれたイヤフォンがアップル社のものに見えたからだ。実際、映画を見返していないので確認はできていないが検索結果の中で印象的だったものは二つ。まとめサイトのニュース（二〇〇七年）「イラクに派兵された米兵が銃撃された時、胸ポケットに入れていたｉＰｏｄが盾となり命を救った」というもの。もう一つはＴＩＭＥ誌のｗｅｂ版（二〇一一年）「アフガニスタンの前線において米兵はブラックベリー（スマホ）とｉＰａｄ、ＭａｃＢｏｏｋ、

PSPを携帯している。ジェネレーション・キル（殺戮世代と訳せばいいのか。イラク戦争を舞台とした米国ドラマのタイトルでもある）はジェネレーション・iPodに変わりつつある」というニュースだった。こうして米兵に限らず現代戦において兵士がiPodを携帯していることはぼんやりと想像していたものの、これらのニュースによれば「米兵がイラク兵を狙撃する際にiPodで音楽を聴いているのではないか」という自分の見間違い（かも知れない）に起因する予想は、事実無根の思い込みではないといえる。

二十世紀と二十一世紀の戦時下におけるメディア化された音楽のあり方の違いのひとつは、圧倒的な量の音楽が戦場に持ち込まれることだろう。もちろん、第二次大戦やベトナムではいくらかのレコードが、湾岸ではCDやカセットが聴かれたはずだ。だが、それらは量において物理的に限りがある。イラク以降はiPodがあり、サブスクがあり、ネット環境があればクラウドに上げられたものなら実質なんでも聴けてしまう。専門家ではないので想像の範疇を出ないが、前世紀において、戦時下の音楽利用は非戦闘地でのプロパガンダが主な目的だったように思う。「戦争音楽」として意図して作曲されたもの（軍歌や軍隊マーチ等）、あるいは意図されていないもの（ナチスによるワーグナーの利用等）も、戦争の「ために」設えられたことが誰の目にも明らかだったはずだ。「意図されていない音楽」は戦争利用というフォーマット変換なくしては活用されなかった。しかし、現代の戦場にはｉＰｏｄ等の携帯音楽プレイヤーやスマホによって戦争とは無関係なまま（無変換のまま）の音楽が「大量」に持ち込まれる。あるいはストリーミングされる。休息中に、ワークアウト中に、見張りの合間に、戦闘中にプレイするのだろうか。もちろん兵士がｉＰｏｄを持ち歩くのがけしからん、と言っているのではない。だが音楽家ならこう考えてしまうだろう。自分の音楽がスナイパーのトリガーを引かせてしまうかも知れない。あるいはトリガーから指を離させるかも知れない。果たしてこれはロマンティック過ぎる加害／被害妄想だろうか。もしくはある程度のリアリティを有することなのか。確かなのは世界中の無数の音楽が戦場で再生されているということだ。

今年、『この世界の片隅に』というアニメーション映画が公開された。この傑作への賛辞はそれこそネット上に山のように転がっているので最低限のあらすじだけ書こう。本作は第二次大戦中の広島の軍港、呉市に嫁いで来た十八歳の「すずさん」が主人公である。これまでの戦争アニメ、戦争映画と決定的に違うのは、空襲で逃げ惑ったりするシーンや軍艦や軍用機の戦闘シーンは極力抑えられ、戦時下における日常生活を徹底的に描いたところだ。特に広島市に原爆が落とされた時の描写は、つまり広島市と呉市の距離感の表現は不気味なまでにリアリティがある（原作のほうは更にハードコアな表現を用いている）。そんな戦時下、お嫁に来たすずさんは生活難の中、生来の想像力をもって、配給の僅かな米と道ばたに咲く草花等を混ぜたおかゆをつくり、着物を裁ってもんぺを縫い、鷺の羽でペンをつくる。しかし、終戦日にラジオから流れる玉音放送を聞き、家を飛び出し突っ伏して泣きはらす。精神科医、批評家の斎藤環の指摘によれば自らの「加害性」に気付いてしまうのだ。「正義が飛び去った」国において、生活の、愛おしい程の工夫が戦争の一端を担ってしまっていたことに打ちのめされる。

ここから戦場で再生されるｉＰｏｄのことを思い出さずにいられない。意図せず戦争に組み込まれたものたち。戦地で聴かれる音楽に、戦時下で営まれる生活に、加害性はあるのだろうか。だが、無情にもイエスだろう。音楽も生活も、ただそこに「ある」だけのものゆえ、いとも簡単に戦争と手を結ぶ。美しい生活に執着しようとも戦争を逃れられないように、メディア化されたものは(としておくが)、今やどんな音楽も純粋無垢ではいられないかも知れない。

鳩のロースト

先月はバンドのツアーでソウル、台北、そして初めて香港に行ってきた。アテンドしてくれたのは「White Noise Records」というレコ屋の店主、ゲイリー。どことなく春風亭小朝師匠を感じさせるフォルムをしてて、スキンヘッドにシュプリームのキャップ、短パンにTシャツ、VANSのオールドスクールという服装。もちろんチャイナ服を期待していたわけではないが、その日本人となんら変わらないルックスは、空港を出て十秒もしないうちに漠然とした中国人像を粉砕した。口癖は「Yeah Yeah Yeah Yeah, like a ~」で、聞き取り易い英語を話す。良い奴、かつ仕事ができる。言わずもがな音楽も詳しい。到着した日、そんなゲイリーが夕飯へ連れて行ってくれた。

滞在したのは九龍地区で、繁華街。ネオンと高層ビルと、古い西洋建築があるような場所で、外人がイメージするような香港。ホテルからゲイリーに連れられ街を歩くこと数分、日本でも入るのが躊躇《ためら》われるような薄暗い雑居ビルの階段を登り、一室のドアを開けた所が香港料理屋だった。蛍光灯が明るく灯り、回転テーブルが三つ置かれ、壁には年中つけっぱなしと思われるHAPPY BIRTHDAYのデコレーション（毎日誰かの誕生日である）。豆をつまんだり、店主らしきオッサンが瓶ビールの開栓に失敗したり、乾杯したりしてると一品目が出て来る。鳩のロースト。調べたところ丸揚げが主流らしいけど、この時は手羽先くらいのサイズのやつが山盛りになっていた。味はレバー、食感はもも肉で美味かったです。自分は胃が疲れていたのでそんなに食べれなかったけど隣にいた厚海義朗はガンガンいってた。ゲイリー曰く「香港人は中国人と一緒にされるのを死ぬほど嫌がる」「ジャッキー・チェンは（政治的な背景があって）香港を中国の一部として語るからみんな大嫌いなんだ」と弁を振るう。

皿の上で骨になっていく鳩を眺めながら、僕は最近読み直した岡崎京子の短編「香港コーリング」のことを考える。探偵もののパロディ（というかパスティーシュ）なんだけど、登場人物である香港人が「早く東京帰るあるネ」「ワタシアナタ助けたいあるネ」「愛する人の姉さん救う コレトーゼンネ」という懐かしすぎる戯画化された中国人の喋り方をする。当然、そんな奴は香港に一人もいないんだけど、最近日本で聞かない（見ない）な〜、「〇〇あるネ」って。やっぱりポリコレ的にマズいんだろうか。もし自分がコメディの脚本家だったとして、香港人（中国人）の料理人が出てくるとする。そいつに「コレは鳩あるネ、そんでこっちはシャコあるヨ」って台詞を書くだろうか……。

自分の興味は今日のエキゾティシズムの在り方だ。それは一般的に「異国趣味」と訳される。異国、異文化へのぼんやりとした、曖昧なイメージ。例えば、一九五六年の映画『八十日間世界一周』はエキゾティシズムに溢れた作品として知られている（原作は一八七三年出版）。一八七二年、主人公であるロンドンの紳士とその召使は、鉄道、気球、船を乗り継ぎ世界一周の旅に出る。そこで描かれる日本は、海の上から「富士山」が見え、横浜の港に降りると鎌倉の「大仏」があり、脇道を入ると「京都」に通じ、変てことしか言いようがない露店が立ち並ぶような、典型的なエキゾティシズムの世界だ（訪問先には香港もある）。それはある意味、前時代のおおらかな勘違いや思い込み、もしくは文化の戯画化といえる。件の「中国喋り」なんか典型的なやつだろう。

こういった勘違いや思い込みを引き起こすのは情報不足、つまりメディアの未成熟と交通網の未発達によるものとされてきた。そして、それらはメディアの発達（特にネット以降）と交通の発達によって、「未知」なるものは「既知」に代わり、エキゾティシズムは駆逐される、という定説がある。

しかし、本当にそうだろうか。つまり逆にいえば、エキゾティシズムを動かすのは「未知」なるものへの好奇心だろうか。僕は香港にいる間、つまり飛行機に乗って現地へ赴き、到底「香港的」な人間とはいえないゲイリーから現地の事情を聞いてもなお、自分の中には、この街をどうにかエキゾチックに捉えたい願望があると思った。鳩のローストは美味いんで、日本でケンタッキーや手羽先を食べるのと大して変わらない感覚になってくる。これが事実だ。だけどもその事実を目の前にしても、つまり異文化の食事を実際に口にしても、この料理をエキゾチックに捉えたい自分がいる。

『八十日間世界一周』の原作が一八七三年にフランスで出版され、一九五六年にアメリカで映画化されるまでのおよそ八十年の間に、十九世紀とは比べ物にならないほど、メディアも交通も発達した。確かに、二十世紀半ばを過ぎても極東の日本はアメリカにとってまだまだエキゾチックな国だっただろう。しかし、文化的にも距離的にもそう遠くないはずの（日本ほど未知ではないはずの）、イギリス、フランス、イタリア、スペインのヨーロッパ諸国までもが「エキゾな」ものとして描かれる。そこには他国の実状を知ることができるようになっても、文化を戯画化したい欲望が働き続けているように見える。事実がどうであれ思い込みや勘違いをそのまま温存して「夢見ていたい」ということではないだろうか。

二十一世紀の現在、エキゾティシズムは「ポスト・トゥルース」の在り方とよく似ている。それは主に政治において「客観的な事実よりも個人の感情に訴えるもの」を信じたがる傾向といわれる。事実よりも自分に都合がよい虚偽の情報を信じたがる社会（フェイクニュースが流布する原因といわれる）。エキゾティシズムというのは映画でも、音楽でも、文学でも大変肩身が狭いものになった。何度もリメイクされてきた『八十日間世界一周』だが、かつてのようなエキゾティシズム全開の描写は現代だと難しいだろう。

こうして鳩のローストを食べる僕は「夢を見たい自分」と「事実を受け入れなければいけない自分」に分裂してしまう。こうなるの、今っぽいな、と思う。そういえば映画の『ブラックパンサー』なんて、戯画化したい欲望と現実（ブラックカルチャーを正視しようとする姿勢）のせめぎ合いで出来ている作品に思えて仕方ない。

東京の地図

引っ越すことになった。今の家に住んで五年になるが、東京の郊外在住なので、仕事で都内へ行って戻る時間や労力がそれなりにかかり、一つ用事を済ませるだけであっという間に一日が終わってしまう。だったら都心部へ転居した方がいい、というのが大義だ。音楽産業にまつわる施設が郊外へ移転する未来は来るのだろうか、関係者はいつまで渋谷付近でウダウダしてるんだろう……しかし、実を言えば、あまりに閑散とした郊外の街並に思うところがあり、状況を変えたくなった、というのが正直な所でもある。最寄りの駅前で自分にとって何か意味を持つ場所は、強いて言えばドトールしかない。

逆にこの数年間で都心部から地方へ引っ越していった友人、知人も数多くいる（その転居先のほとんどが長野県だったのは特筆すべき現象だ）。バカ高い賃料や何十年もかかるローンを組んで都心部に住むことを考えると、長野から東京へは電車で一時間強で行ける訳で、転居先で広い家に住み、仕事も得ている彼らの選択はスマートとしか言いようがない。

都心でも田舎でもない、ただ家ばかりが建ち並ぶ、東京の郊外西側に生まれ育った自分にとって、そこはアイデンティティを求める場所ではなく、ある種、うまく乗りこなすべき場所といえる。微弱な刺激しかない場所をどう楽しむか、ということだ。だから、かつて自分が育った場所と同じような東京の郊外に引っ越してからは、子供の時にゲットしたスキルを思い出すことがよくあった。というか、この連載も、この五年間で作った楽曲も、この街に住むことなしには出来なかっただろう。

深夜の散歩はRPGでいえば平坦に見える街の「裏面」を探すことに似ている。変化がないように見えるなら物事を仔細に見てみる。異質なものを接続させることが多いのは、郊外から社会の現実感を摑もうとしている痕跡だと思う……自分で解説してしまった。だけど、この連載に通底する「郊外感」は僕個人の私的な問題ではないと思っている。

先日、本棚を整理していたら『動物化する世界の中で』という東浩紀と笠井潔の往復書簡が出てきた。米国同時多発テロとアフガニスタンへの報復攻撃が行われる状況下で交わされたこの書簡集は途中、大ゲンカになり両者は決裂してしまう。なかなかヒヤヒヤする本なのだが、本論とは大して関係のない第七信の冒頭が目を引いた。

それは東が郊外から都内（西荻窪）へ転居し、返信が遅れたことを詫びる一文から始まる。本人は「雑談」としているが興味深かったので少し引用してみる。

……コンビニとケータイとネットとJポップしかない九〇年代末の荒れ果てた郊外に住んでいた僕にしてみれば、この街は、世界の平板化の荒波のなか、「昭和的」としか言いようのない独自の価値観を守り続けている一種のテーマパークのように映ります。（中略）僕は、物心ついたときからずっと私鉄沿線の郊外に住み続けてきました。僕はいま、初めて、その足場を失い、「文化」という名の古き良き虚構のなかに漂い出しているように感じます。そのような虚構の求心力はいまはもう失われているのだ、と口を酸っぱくして言い続けてきた、まさにその虚構のなかに。

確かに中央線沿線、特に西荻窪から新宿間に漂う「昭和的」な「文化」は、他の私鉄沿線に比べれば多少その残り香を感じることができる。しかし、この文章が書かれたのは二〇〇二年、今から十六年も前のことだ。あれから「平板化の荒波」は、東が「古き良き虚構」を感じた中央線沿線にも着々と迫っている。駅前の再開発が多くの駅で進み、各駅に「アトレ」「ノノワ」といったショッピングセンターが併設されている。僕もかつて住んでいた西荻窪は、駅前にあった老舗の食料品店（喜久屋）がなくなり現在パン屋＋ドトールという店が建設中。先日、西荻の顔ともいえる駅前南口の呑み屋街の再開発計画が発表された。

言うまでもなく「平板化の荒波」は強烈だが、中央線に限らず、再開発が進む渋谷は今後どうなるだろう。聞くところによると、JRと東急のプランでは、駅上と駅前で商業とオフィスを集中させるものらしい。パルコの再建も含め、大きく勢力図が変わるのは確かだろう。枚挙に暇がないが、自分には「都心の郊外化」としか思えない。もちろん渋谷や新宿が大型ショッピングモールとデカい駐車場だけの街になるとは思えないし、ミクロに見れば各街で歓迎すべき変化はあるはずだ。しかし、かつて「都心」と「郊外」が作っていたある種のダイナミズムは想像しているより速いスピードで失われていくのかも知れない。

今、僕が原稿を書いている自宅の窓からは向かいに一軒家が見える。ここに越してきてから少なくとも五年の間、ずっと空き家のままだ。軒先に駐車場があり、そこが近所の小学生たちの溜まり場になっている。彼ら彼女らは放課後に自転車で集まり、ゲームをやり、駄菓子を喰い、キックボードで駆け回っている。東京の空き家問題が取り沙汰されて久しいが、郊外の空き家を「裏面化」する子供たちにはちょっとした頼もしさを感じる。だから、こうして考えているとバカ高い金を払って着実に「郊外化」している都心部へ引っ越す理由がよく分からなくなってくる。

転居先の街には駅前から続く細長い商店街があって、歴史を感じる喫茶店や中華料理屋、八百屋、豆腐屋、呉服屋までもが並ぶ、まさに「昭和的」な「古き良き虚構」が広がっている。ここに「平板化の荒波」はやって来るだろうか。それは時間の問題かもしれない。あるいは、事実はそんなに単純ではないのかも知れない。

今は久しぶりに家が変わることが素朴に楽しみなのと、窓の外で遊んでいる子供たちになんだか申し訳ない気持ちでいる。

Aになる

クラブで踊る。クラブといっても自分がたまに行くのはライトとスモークでギンギンなチャラ箱ではなく、小ぢんまりとしたクラブバーだけど。

「ノル」と「踊る」に明確な違いはあるのだろうか。ひとまず音楽の中で踊る。ハウスもヒップホップもいいけどリジー・メルシエ・デクルーなんかがかかると嬉しい。二本足で立ったサルや首を左右に回すフクロウやテレビで見かける珍しい鳥のステップみたいな動きをする。動物と人間の間を行き来するように踊る。ふと自分がサルみたいになっている、と気づくと踊るのを中断してバーカウンターで酒を注文する。ジントニックください。少し厳密にいえば「みたいに」ではなく「ほとんど」サルそのものになっていた。酒を飲む。大声で喋っていると興奮して来てほとんどゴリラになる。人の話が半分以上分からなくなる。自分が言っていることも分からなくなる。どこからか外気が流れてきて時々我にかえる。音楽の中でモーフィングし続ける。それを朝まで反復して、ループが解けたら人間のように家へ帰る。

帰宅して風呂も入らず寝てしまったので、昼過ぎに起きてシャワーを浴びた。出かけようと思い、脱ぎ捨てたままのダウンに袖を通そうとするとタバコ臭い。くっさ。数年前に買ったノースフェイスから出ている寒冷地用のもの。一旦脱いでからファブリーズを入念に吹きかけ、ファーに顔を埋める——ああ、ヤンキーの部屋の匂いだ。薬品とヤニが混ざったケミカルな匂い。ファブリーズのCMの健康的なイメージと不健康そうな気配が混濁する感じ。壊れた掃除機のように何度も吸い込んでしまう。透明な気持ち悪さ、みたいなものが気管を満たす。今朝方のアルコールも手伝って胃が伸縮を始め、吐き気がする。なのに、どうしてこんなに惹かれるのか。何度も嗅ぐ。蜜蜂の羽根のように体が震える。

高校の同級生Aをヤンキーと呼んでいいのか分からないが、そんな類の人だった。

彼からも同じような匂いがした。香水とヤニが混ざったもの。お互いパンクが好きだったし帰る方向が同じだったので何かと一緒に行動していた。Aの匂いは何か複雑で性的な感じがして、自分からはタバコの匂いしかしないのが単細胞の子供じみている気がした。ママチャリで府中にある彼の家に遊びに行くと、ランシドとかオペレーションアイヴィー、NOFXを聴かせてくれる。Aとどんな内容の会話をしていたか思い出せないが、確かCD棚には香水が置かれていたはずだ——ある時、彼の部屋に行ったらAがニヤニヤしている。どうした、と思っていたら部屋の面積半分を占めるベッドの中からAの彼女がワッ、と飛び出して来たことがあった。僕は呆気にとられて間抜けな声が出た。彼女は他学校の一コ下で、ベッドの中に隠れていたせいか制服がヨレて少しハダけていた。部屋は相変わらずタバコと香水臭かった。

Aの部屋や、おそらくAと彼女がセックスをしていたことを呼び起こすだけでなく、その匂いを吸い込んでいると自分がヤンキーになった気がしてくる。「みたいに」ではなく「ほとんど」ヤンキーだ。異物を吸引するとダンスの余波のように体が振動する。皮下に埋められていたヤンキーの種が、ファブリーズとヤニの混合体によって発芽する。「踊る」と「ノル」と「震え」にどんな違いがあるのだろうか（イアン・カーティスの痙攣ダンスを思い出せ）。神楽の舞踊が猿や鳥を模すように、世界のあらゆる民俗舞踊が動物を擬態するように、クラブでかかる音楽が自分を類人猿や猛禽類にモーフィングさせるように、ヤンキーになる。話し方、歩き方、座り方、タバコの吸い方が変わる――髪が逆立ち金髪になる。黄金のオーラに包まれ目が緑色になる。筋肉が増強され、耐えきれなくなった服が破れる。空を飛んで両手からビームが出る。瞬間移動もできる。あるいはAになる。

Aになった僕はドン・キホーテで香水を買い、タバコの銘柄もセッターに変える、ついでにカルバン・クラインのボクサーパンツも買う。同級生を家に呼んで彼女をベッドの中に隠す。彼女が飛び出したら、きっとそいつは間抜けな声を出すだろう。ジバンシィのウルトラマリンを手首に吹きかけ、首に擦り付けたらクラブに行く。リジー・メルシエ・デクルーなんかがかかると嬉しい。「Slipped Disc」だと尚イイ。ほとんど動物になって踊り、昼過ぎに起きてシャワーを浴びる。体についた匂いが落ちると、発芽したヤンキーの芽が枯れている。しかし無数に分岐した平行世界にはヤンキーの自分がいる。ダウンのファーに顔を埋めるとそんな世界が垣間見える。

それにしても、こんな匂いの人間がいつの間にか周囲からいなくなっていた。街中を走る、あの黒い軽——ディズニーのぬいぐるみが飾られたホンダのN-BOXとか——の中はファブリーズとヤニの匂いがするのだろうか。

俺のサブスク元年

「嫌いなものを好きになる」は、「好きそうなものを好きになる」より、ボクシングでいうなら引きの力が大きいので、パンチが強い。どういうことかといえば、僕は今年、嫌いだった武満徹が好きになった。「ノヴェンバー・ステップス」という曲で、尺八と琵琶の邦楽器と、西洋のオーケストラを組み合わせて有名になった現代音楽の作曲家、と大体の音楽の教科書で説明されているはずだ。どうして好きになったのか。今度引っ越すのだけど↓転居先にアップライトピアノを置けるかなと一瞬思案した↓どんな部屋の配置がいいだろうか↓そういえばタケミツがピアノを良い塩梅で仕事部屋に設置してたな↓画像検索↓タケミツのエッセイを再読↓久しぶりに聴いてみるか↓めちゃ良かった↓という具合（「ノヴェンバー・ステップス」と「系図」はやっぱり嫌だけど)。
ところで嫌いという割には、タケミツのエッセイを持っていた、しかもかつて結構読んでいた、というのがキモといえる。

現代音楽というのは、馴染みがない人には「十九世紀末から二十世紀初頭にヨーロッパを中心に勃興したコンセプトがガチガチなクラシックのジャンル」といえばいいだろうか。僕は学生時代、今よりもずっと熱心な現代音楽のリスナーだった。CDを買い漁り、コンサートに行き(シュトックハウゼンが生前最後に来日したコンサートで「少年の歌」を聴いたのがプチ自慢だ。一部では有名な話、テープを再生するだけ)、そして半分はよく分からなかった。もちろん好きなものも沢山あった訳だが、それにしても少し前まで高校生だった奴にとっては、裸で樹海を歩くようなものだ。その時、自分が欲したのは件のエッセイや本だった。ディスクガイドよりも、作曲家に移入するためのエピソード。音楽のサイドストーリー。例えばGHQに誤射された作曲家。かつてレジスタンスで銃弾により片目を失くした作曲家。武満だったら戦中、蓄音機でこっそりと聴いたシャンソンに影響を受けたエピソード。ナチスに捕らえられた作曲家が収容所内で作曲した逸話（もちろん作曲技法の数々についても）。だけど、当時の自分は清純だったのだろうか。音楽の周辺に張り付いた情報を消費するばかりで、なかなか「音楽を音楽として」楽しめないもどかしさがあり、自分の行いを不潔に感じるようになった。そうして次第に現代音楽から遠ざかった。一応いたいけな青年を擁護しておくと、意味ばかりが過剰で強度がない作品が多いジャンルだ。文脈にがんじがらめになってしまう「エヴァ」のファンみたいなものだろう。

市場に出回っている音楽を「聴くこと」と「消費すること」は不可分だ。現代音楽じゃなくても、BTSの「音楽だけ」聴いているファンはこの世にいないように、メンバー個人のニュースやゴシップだけでなく、MVも、ダンスも、ライブのMCも、ファッションも、消費の対象だ。

自分だったらレコ屋に行ってレコードを掘る時は、ジャンル分け、ジャケットのアートワーク、フォント、プロデューサーやプレイヤーのクレジット、レーベル、レコーディングスタジオ、発売年数、といった音楽に付帯する情報を必死に読み取る。その情報が大なり小なり、音楽の聴き方に影響を与えている。

若しくて急逝したビートメイカー、J・ディラの実質的な遺作である『DONUTS』について書かれた『J・ディラと《ドーナツ》のビート革命』（ジョーダン・ファーガソン著）は各関係者への貴重なインタビューで構成された本だが、著者は文中ずっと苦悶し続ける――もしディラが生きていたら『DONUTS』はこれほど名盤としてみなされただろうか。「早逝」という大きすぎるストーリーによって必要以上に神格化されているのではないか、と。「音楽」と「情報」のダブルスタンダードに悩まされ続けている（この本は著者が自問自答ばかりしていて笑ってしまう）。

そもそも音楽が消費財として「出版」されたのは十六世紀のイギリスで、最初は楽譜のレンタルだった。たしか砂原良徳が「その楽譜の表紙に〈花〉が描かれていたら、その時点で音楽とは別の価値が与えられる」と言っていた。エピソード、サイドストーリー、文脈、呼び方は何でもいいが、それらは〈花〉のヴァリエーションなのかも知れない。音楽にまつわる伝記やインタビュー本はその〈花〉について書かれたものといっていいだろう。

アップルミュージックやスポティファイといったサブスクサービスは、CDやレコードに比べて、〈花〉のような情報が極端に少ない。スポティファイだったら、作曲やプロデューサーのクレジット、曲によっては歌詞こそあるものの、CDやレコードとは比べ物にならないほどその情報は少ない。もちろんライナーノーツもない。僕はそういった情報をほぼシャットダウンして音楽に接するのはストイック過ぎると感じていた不貞なリスナーだ。じゃあさ、何の文脈も知らずにタケミツを直接耳に突っ込むのは難しくないか？　と思っていた。

しかし、既存の文脈を知らずに音楽を聴くのはもちろん悪ではない。サブスクで適当にかけていたプレイリスト、仮に「チルアウト」で『DONUTS』のトラックがかかるとする。それは良くも悪くもディラ本の著者のように頭を抱える人間を生み出しはしない。それはただ聞き流されているだけかも知れない。ほとんどがそうだろう。

しかし、このような「既存の文脈から切断された状態」は他にどんなことをもたらすのか。難しいかどうかはいったん措いておいて、音大生とインテリの所有物としての現代音楽は、そこから逃れる可能性が上がったといえないだろうか――ヒップホップしか好きじゃないどこかの誰かに、ある日ただタケミツの「音」だけが届くこと。予め与えられた「コンセプトがガチガチなクラシック」とは違う経路を辿ること。

その確率がどれほどのものか自分には分からない。サブスクがもたらすリスニング環境を楽観することはできない。金銭面はいうまでもないが、弊害の一つにミュージシャンが「パンク」や「ドライブ」を意図していなくとも、一旦あるプレイリストに組み込まれ、イメージが固定されるとそれを壊すのは難しい。あるいは関連ミュージシャンで紐付けされるとそこからはほぼ逃れられない。だが(それゆえに)、リスナーが意図しない「異物」が届くこともあるだろう。僕はサブスクにこういった可能性を少し感じている。

そういう訳で、僕は最近八年間使い続けた携帯を機種変して今更スポティファイを始めた。夜な夜な学生の頃に聴きそびれた現代音楽を検索しては「これもあんのかーい」と新しい携帯に向かって独りごちている。かくして今年はタケミツ元年とサブスク元年となった。

w-inds.から考える音楽とメディア

昨年のことだがテレビの歌番組にw-inds.が出演していた。未だに活躍していることを知らなかったので失礼ながら、おぉ懐かしい〜とか思っているとパフォーマンスが始まる。そこで披露された新曲「Time Has Gone」が素晴らしかった。テレビをつけっぱなしにしていて音楽にもっていかれるなんて久しぶりの体験で、今風のビートもの（オルタナR&B〜フューチャーベース）といえばそれっきりだけど、とても良い曲で特にフック（サビ）に出てくるボイスサンプルの「Time has gone〜」のピッチがヨレていて、つまりピアノにはない音程で（微分音という。中東の民族音楽に多い。音痴に聞こえる人もいる）、これを採用するw-inds.はマジでクールだなと思った次第。さらにメンバー自身がトラックをつくっているらしい。ささやかながらでも、こうした音楽がテレビで取り上げられるのは素直に嬉しいことだ。

それはそうと番組内にトークコーナーがあって、たしか「最近気になっている音」というのを各自発表する場面があった。そこでw-inds.の橘慶太は「テレビのスピーカーだと低音が削れる、自分らの音楽は下（低域）が大事なんで」と答えていてテレビの前でぼくは分かる分かる、と頭が取れるくらい首肯した。テレビの音響だと自分達の音楽が映えない＝メディア（媒介物）と音楽の関係に意識的だ、ということだが、テレビに限らず、メディアが音楽創作に影響を及ぼすことは、音楽が記録され始めたときからはじまっている。例えば西洋の五線譜。ここに記録出来るのは大雑把にいって和声とリズムとメロディだ。ただし、この記譜法で書けるリズムはモノリズム（単一のリズム）で、何が不得意かというとポリリズム（複数のリズム）である。文化的、宗教的背景が絡みつつも、この楽譜というメディアは、アフリカや中南米の音楽では当たり前に聞かれるポリリズムが西洋音楽ではほぼ発達しなかった要因の一つとも言える。しかし難しい話は抜きにして次へ（ちなみに西洋の譜面においても微分音の表記法はある）。

メディアと音楽の関係性でいえば、インスタ映えならぬ、スマホ映え、という言い方があるか知らないが現代の音楽家はスマホのスピーカーで自身の楽曲を鳴らした時の「映え」を多かれ少なかれ気にしている。いやいやそんなん気にしたら終わりよ、って人もいるだろうがぼくは少し気にしている。こないだちょっとだけネットドラマの劇伴をやったのだが、多くの視聴者がスマホとPCのスピーカーでドラマを見るのが想定されるのでこれは「映え」ないと正直意味がない。低音楽器を主軸に楽曲を展開してもほぼ聞こえないという事態もあり得るので、曲をつくりながら何度かスピーカーのケーブルをわざわざ抜いてPCのスピーカーで音を鳴らして作曲した。ここでふと自問。劇伴はともかく、オーディオ用スピーカーで音楽を聴く一般リスナーって現在どれくらいいるんだろうか。少なくとも減っているはずだ。あのiPhoneをラジカセみたいなのに差すやつとか、Bluetoothで飛ばすやつって一般的？　でもやっぱりユースだったら移動中やベッドの中はイヤフォンで、友達といる時はスマホのスピーカーで、が自分が想像出来る範囲のリアルだ。そして、そういったリスニング環境が主流なら、聴かれる音楽も当然変わっていくだろう。もちろんこういった議論は既になされているだろうし、むしろ古くさいのかも知れない。しかし更に興味深いのは、メディアの変化が音楽のもっと内部、和声やリズムにすら影響を及ぼすことだ。

デヴィッド・バーンというミュージシャンが行った「いかにして建築が音楽を進化させたか（How architecture helped music evolve）」という講演の動画がある。タイトルの通り、自身のキャリアのスタートであるトーキング・ヘッズが活動を始めたライブハウス（CBGBというパンクの殿堂）から始まり、いかに建築（と環境）が音楽に対して影響を与えるか、様々な年代、地域、建築を巡りながらその関係性が語られる。前述の小規模なライブハウスだったら、「残響がなく」「言葉が聞き取れ」「歌詞が理解しやすく」「リズムが正確に聞こえ」ガヤガヤとうるさい客に対して音楽を聞かせやすい環境だった。つまり「良い音」で彼らの音楽が「よく機能する」場所だった。しかし次第にバンドが売れてカーネギーホール等の音がよく反響する大会場で過去の楽曲を演奏すると「それほど良い音にならない」、要は「映え」ないのだ。この講演ではゴシック式の大聖堂や、ワーグナーのオペラハウス、車のオーディオを経てMP3プレイヤーまで話が及ぶ。大聖堂では音がよく響くため、リズムはほとんどなく、長い音価を用いた合唱が映えた。ここでは「建築」を「メディア」と置き換えても良いだろう。つまりメディアが作曲の在り方にまで大きく作用している。

音楽は純粋に人間の心とか、魂から生まれるものだという主張は素晴らしいが、良いか悪いかは別にして、常にメディア＝媒介物の影響を受けるものだ。西洋の譜面におけるポリリズムのようにメディアが不得手とするものはほとんど発達しない。あるいはメディアとマッチする音楽が普及する。つまりスマホがメインである現代のリスニング環境は音質や音域に限らず和声やリズム、メロディまで変化させるかも知れない。というか自分が気付いていないだけでもう変わっているのだろうか。ものすごい蛇足だが橘慶太さんのパートナーである松浦亜弥さんはああいったピッチのヨレをどう感じているのか気になるところだ。

コンロンナンカロウと言ってみた

ある夜、麦茶のお湯が沸くのを待ちながら「コンロンナンカロウ」と言ってみた。「コンロンナンカロウ」を知ったのは今から十五年前だ。友達から借りパクしたCDのライナーノーツでその名を初めて見たのである。正確には「素数と倍数のリズム、時間軸のズレ、コンロンナンカロウのプレイヤーピアノ」と書かれていた。何ソレ、意味分かんないけどなんか頭良さそう！　おそらく人生で一番聴いているこのアルバムは、サブスクにもiＴｕｎｅｓにもない。検索してもそれにまつわる情報はほぼ皆無だ。あるのは音とライナーノーツだけ。よって何回も聴き、できそうな曲はコピーをし、そして何度もライナーを読んだ。「コンロンナンカロウ」とは。それは公衆トイレの落書き「この女ヤレる→090-xxxx-xxxx」のように、ある種のインパクトを持った暗号として自分の記憶に沈殿することになる。

ヤカンを火にかけながらバッハの平均律を聴いていた。サブスクで。正確にはブラッド・メルドーの『After Bach』というアルバムである。それは公衆トイレの落書き「500円でxx公園でヤラせてあげる↑マジで↑バカじゃね」のように、ある種の歴史の連なりと解体の音楽だ。本当に凄い。もちろん僕はその後「コンロンナンカロウ」とは何か突き止めていた。『After Bach』は連想ゲーム的にその名を思い出させた。

しかし、沸騰し始めたヤカンを見ていたら、ふと気がついた。人生においてただの一度もその名を口にしたことがない。脳の記憶より、口の記憶が確かだ。コンロンナ……そんな動きをしたことがない。やるなら今しかねえ。

「コンロンナンカロウコンロンナンカロウコンロンナンカロウコンロンナンカロウコンロンナンカロウコンロンナンカロウコンロンナンカロウコンロンナンカロウコンロンナンカロウコンロンナンカロウコンロンナンカロウ」

十五年間沈殿していた暗号が二酸化炭素になる。お湯は気化して水蒸気になる。換気扇から外へ吐き出される。アディオス。コンロン・ナンカロウは自動演奏ピアノ曲で有名なアメリカの作曲家だ。

妙な感慨がある。自分は「ヤンデック」とか「ストローブユイレ」とか「ロググリエ」とか「ジデカアクーニーリ」とか口にすることはあったけれど「コンロンナンカロウ」はなかったんだな、という感慨。ただ頭の中に蓄積されただけの情報とは違う。口にしなかったとは、そういう友達がいなかった、ということでもある。もちろん自分の友達が無知だという意味ではなくて、極端にいえばパトワ語を話す奴が周りにいないから「ビゴップ!」と口にしたことがないのと同じだ。

考えてみれば「知っているが口にしたことがない固有名詞」なんて星を砕いてミキサーにかけた数ほどある。しかし「コンロンナンカロウ」を暗号ではなく、ただの一作曲家として発音する人生もあったのやも知れん。そうかも知れんが、まぁそんなもんだろう。

言霊というのが存在するか分からないが、ある固有名詞を初めて発語する時の感覚がある。口から産声をあげる少しの緊張と言い澱み。箱入り娘を世に出すような喪失感はこんな感じだろうか。

ひとしきり台所で独り言を連発してから、僕は記憶をリワインドしてみた。「レッドツェッペリン」と初めて口にした時、「T・REX」と言った時、「ピンクフロイド」「グランドファンクレイルロード」どんなだったっけ。もちろん覚えていない。ただ確かなのはこれらのバンド名は耳ではなく雑誌と本から知った。なので正しいというか世間一般での発音が判然としなかった。周囲にそれを指摘する人がいなかったからだ。僕はしばらくの間「ッ」が抜けた「レッドツェペリン」、「グランドファンクレーロイルド」と言っていた。

この世にMichael Jacksonが好きで好きで堪らないが、一度もその名を発したことがないファンというのがいるかも知れない。もし敬虔なキリスト教徒、ユダヤ教徒、イスラム教徒なら「ミカエル・ジャクソン」と心の中で呼んでいるかも知れない。彼、彼女がその名を口にするのは、誰に向かって、どんな状況においてだろう。共感とサムズアップを送るしかない。

ユーウツ音楽講座

〈もしかして「うつ」を漢字で書けるんじゃないか　彼は〉

これはランタンパレードの名曲「囁き　吐息」のパンチラインだ。おそらく日本人がPCとスマホを手に入れても未だ「読めるが書けない漢字」の第一候補「うつ」。あなたはどうだろう？　「うつ」を漢字で書ける？　あるいはメールの下書きかなんかで確認したい衝動に駆られるだろうか。だが入力した所でこの漢字は恐ろしく煩雑で、結局漠然とした形に目を細めるだけだ。つまり、まあ、この漢字の成り立ち自体が「うつ的」ではないのか、ということが言いたい。正体が判然としない反面、多くの人が身に覚えがあるものとして。

冬の夕方、車に乗って長い橋を渡っていると助手席の子が夕空を見て「うわぁ、きれい」と言った。地平線から空に向かってオレンジ、薄紫、水色にグラデーションしている。僕はとにかくこの季節のこの時間帯がユーウツで堪らない（特に地方都市の）。彼女の気分を害さない程度にそのことを告げると「私の同級生にもそういう子いたなあ、あの薄紫色を見ると暗い気持ちになるって文集に書いてた。その文集を見てその子に話しかけたんだよね」という反応。「へぇー読んでみたいな、それ」と、思わず顔も知らぬ同志を見つけた僕は相変わらずの暗い気持ちに少しの嬉しさがマーブルに混じり合って、ちょうど今の空模様みたいな気分になった。

〈空の上には死があって〉

これは舞台『ファンファーレ』の台詞の一節だったと記憶している。音楽をずっとやっていると当たり前過ぎて気づけないことが多くある。これは音名の話で、もったいぶらずに「ドレミファソラシド」と書けば「ソラの上にはシ」があることがすぐ分かるだろう。これは僕が勝手に解釈したのではなく、音楽劇だったので前後にこのイタリア語と日本語の同音異義語をリンクさせる台詞があったと思う（しかし文脈は忘れてしまった)。夕空を見て微妙な気持ちの運転手はこの一節を思い出した。まさにユーウツで美しい、冬の夕空にぴったりの言葉だ。空の上には死があって。

ポップスのギターやピアノを少しでもかじったことがある人なら、メロディーと歌詞が書かれた譜面の上に並んだ記号を知っているだろう。それを「コード」という。例えば「Dm7」「F」「G7」とか書かれたそれだ。これらは「Dm7」なら「レファラド」と弾け、「F」は「ファラド」、「G7」は「ソシレファ」というようなことを意味している。ぼくは小学校の時にキーボードの教本を買い、このコードというやつを勉強した。

最初はキーボードの前に座り、五線譜に置かれた音符とそこに書かれたコードを照らし合わせて、ゆっくりとゆっくりと、鍵盤に指を一つずつ置いて行く。最初は音が三つだけの簡単なもの。この時点ではまだ、地味な、いってみれば学校で聞き飽きた唱歌と同じ世界、といった感じ。そして、今でもはっきり覚えているのはその後の事だ。「ドミソシ」と弾いた時。正確に言えば、「ドミソ」と弾いて小指で「シ」の音を足した時。たった一音足しただけで、別世界が一気に立ち上がることに圧倒された。

大袈裟には言っていない。十一歳の子供にとって、このコードはそれまで知っていた音楽と世界を覆すようなヤバい代物であった。コードネームは「CM7」シーメジャーセヴンと書かれていた。

どんな音といったらいいだろう。例えばサティの「ジムノペディ」第一番みたいな響き？（あれはGM7とDM7）だが、あたかも珍妙なコードのように書いてしまったが、全く珍しいものではない。ポップスにおいては使われないことの方が稀な、我々が日常的に耳にするものだ。ぼくは、現在に至るまでCM7を一〇〇〇万回か一億回か分からない程に弾いている。というか、ポップスに従事するミュージシャンの平均をとればそんなものだろう。「ドミソ」の上に「シ」を足した時の驚きと喜びの新鮮さはとっくに消え失せたものの、この時の経験はずっと続くこだまのように自分の人生を律している気がする。

いくら音楽を勉強しようとも、どうしてあのコードがヤバく聞こえたかは分からない。「メジャーセブン」をお洒落コードだとか言い出した奴は誰だろう（自分も言うけど)。それを冬の夕空のように「うつ的」といったら怒られるだろうか。誰しも聞いたことがあるが、正体が判然としないものとして。音響心理学というものがあるがぼくは興味がないし、子供の時にこのコードに出会った驚きの正体も、あのユーウツさの原因も、「空の上には死が」あるからという説明の方がよっぽど気に入っている。

アメリカン　ベラ・ノッテ

いま、「東京ベイ舞浜ホテルクラブリゾート」というホテルのロビーにいる。時刻は深夜一時過ぎ。さっきまで遠くからレストランの食器がカチャカチャ響き、掃除機の音が聞こえていたが、さすがに静まり返り、灯りもほとんど消えた。小さく音楽がかかっている。ここのロビーは小学校の体育館ほどの広さもあって、あらゆる音が長く反響するのでそのBGMもどんな曲なのか分からない。人の気配はほとんどなく、時折気まぐれにガラス張りのエレベーターが上下に動く。真夜中のホテルのロビーが好きで、ビジネスだろうがリゾートだろうがホテルに泊まる時はソファ、照明、建具、アメニティ、併設された土産物屋等々を一通り見て回ってしまう。今日は一日ディズニーランドで遊んでクタクタで、ソファで反り返ってみると、天井がガラス張りになっていて夜空が見える。ディズニーリゾートの系列店なのも手伝って、星はないが『わんわん物語』の主題歌「ベラ・ノッテ」を思い出す。きれいな きれいな夜 今宵はベラ・ノッテ――歌詞を反芻してみる。幼少時にぼくは『わんわん物語』をVHSで、二、三十回は観ているはずだ。

このホテルは中央が巨大な吹き抜けになっていて、それを四角で取り囲むように客室が配置されている。その吹き抜け部分がいま自分がいる広大なロビーであり、イタリア風？ 南フランス風？ そんな感じの売店や土産物屋、レストランが戸建てで建てられている。大量の観葉植物と、街灯のような照明。中心には噴水、その横には結婚式場がある。とはいえ、建築に疎いので、ホテルの真ん中にヨーロッパ風の広場がデカデカと広がっている、くらいにしか理解できないのだけど……。映画の撮影所に組まれた裏側が見えないセット、というのが一番近いと思う。ディズニーランドやシーと同じような空間だ。建物の中に建物がある入れ子構造と、ディズニーが描くヨーロッパ（アメリカ人が感じるヨーロッパへのエキゾティシズム）が僕は好きだが、おかしなことに、ディズニーによって、日本人（に限らず多くの国の人間）は、アメリカにやってきた移民たちが祖国に対して持っている郷愁をどこか理解できてしまう。

『わんわん物語』（原題は『Lady and the Tramp』）は映画中の表現を借りるなら「山の手」のお嬢様犬レディと「場末」の野良犬トランプの恋物語だ。ちなみにTrampは「風来坊」「浮浪者」「好漢」といった意味。原題のTrampの前だけにtheがついているのは、それが「トランプ」という固有名ではなく（人名やキャラクターの名前の前に普通「the」はつかない）、一般名詞としての風来坊を表しているのではないだろうか。実際、犬同士の間ではトランプという名を持つものの、トランプは飯をせびりに行く家々によって呼び名が変わり、人間から見ると固有名を持たない。無理やり直訳するなら「レディとあの風来坊」くらいのニュアンスだろうか（同じ様な例として『美女と野獣』の『Beauty and the Beast』がある）。

件の「ベラ・ノッテ」はイタリア語で「美しい夜」という意味だが、劇中ではオープニングと、有名な「ミートボール・スパゲティのディナー」のシーンで曲が流れる。ある夜、トランプがお気に入りのイタリアン・レストラン「トニー」にレディを連れて行くと、気の良い店の二人はテーブルをセットし、山盛りのスパゲティを出す。そこで巨漢オーナーのトニーと従業員のジョーはバンドネオンとマンドリンでカンツォーネ風に「ベラ・ノッテ」を朗々と歌い演奏する。そのささやかなディナーは勝手口を出た路地裏で開かれる。レストランの店内でも、表通りでもない。レディとトランプが食事をするテーブルからカメラが上昇を始めると、アパートとアパートの間に何本も渡されたロープには無数の洗濯物がかかっていて、その向こうに満月が見える。

世間知らずなお嬢様とワイルドなタフガイの典型的なラブストーリーなのだけど、子供心にどこか不気味さを感じていた。それは人の顔がほとんど描かれない所にあった気がする。レディの飼い主である若夫婦の登場回数は決して少なくないが、ほとんどが腰より下か足元しか映らない。あるいは顔が出てきてもほんの一瞬か横顔、引きのロングショット、もしくは影や煙で見えない様になっている。意図的に顔を描いていないのは明らかだ。他の人間もほとんど同じく顔が描かれない。この理由を「犬が主人公の映画だから犬の目線で描いた、もしくは犬の表情が人間の様に変化するので違和感がないようにした」とするのは妥当だと思う。しかし、幼少時に何十回も観て鮮明に覚えているのがこのイタリア系のトニーとジョーだ。なぜかといえば、顔が描かれているからだ。確かに顔が描かれる人物（警備員と中年の優男）が他にもいるにはいるが、このレストランの二人程重要な役回りではない。何にせよ、犬以外で一番充実した人物描写がされていて、最もキャラクターとして成り立っている人間がこのトニーとジョーだ。

どうしてこのイタリア系の二人だけが、人物描写をはっきりとされているのだろう。それは裏を返せば、どうしてこの二人が犬と同じ様に描かれているのか、ということだ。

『わんわん物語』は「鑑札」をめぐる話だともいえる。犬の鑑札とは飼い主が役所に申請し、行政が発行する登録証明だ。レディは鑑札を与えられ、近所の飼い犬と仲良くしているが、野良犬のトランプは当然鑑札を持たない。劇中、鑑札を持たない野良犬たちは人間に捕らえられると、犬の収容所（dog pound）に連れて行かれ、殺処分が暗示される。レディはある出来事があり町中へ逃げ出し、結果的に収容所に捕らえられるが、鑑札があることで助かる（そこで、ある犬は「鑑札は自由へのパスポート」

と語る）。鑑札がない犬は、社会から「正式に」認められない、はみ出し者といえる。当時のアメリカでイタリア系移民がどういう状況に置かれていたか、具体的には分からないのだけど、「ベラ・ノッテ」が演奏される前にスパゲティのシーンでこんなやり取りがある。

レストランの勝手口に連れてこられたレディ。それを見てトニーはトランプに向かってこういう。「忠告を聞いて嫁っ子をもらうことにしたんだな、グフフ」それを聞いて「嫁っ子？」と訝しむレディに向い、トランプは「トニーは英語がよく分からないんだ」と取り繕う。もちろんこれは冗談なのだけど、しかし、この冗談が成り立つのはトニーがイタリア系だからだ。「アメリカ人なのに」「英語がよく分からない」から、何をいっているかよく分からない、という意味だ。ここでなんとなく当時のイタリア系移民、少なくともトニーとジョーの立ち位置はアメリカの「正式さ」から外れていると想像できる。

劇中、トランプが犬以外で最も親しくしているのはイタリア系移民のこの二人だ。映画の設定では人間と犬は会話ができないことになっているが、トランプとトニーの会話は成り立っている様にみえる。鑑札を持たない野良犬と、「英語がよく分からない」と冗談にされるイタリア系は、社会からのはみ出し者同士だ。ともすると差別的といえるが、こうしてこのトニーとジョーは主人公である犬と同じ様に充実した人物描写が与えられ、顔が描かれるのではないか。同じように、一度だけ登場する「警備員」と「中年の優男」は顔をはっきり描くことで、前者の傲慢さと、後者の頼りなさを揶揄しているように見える。

野良犬と逃げ出した家犬と移民、路地裏のディナー、イタリアの歌（しかしそのカンツォーネはアメリカ風に味付けされている）。「ベラ・ノッテ」が演奏される中、路地裏の洗濯物に隠れて満月が見える。夜空を仰いで祖国へ思いをはせる様に、そこには移民の郷愁があるのだろう（ところで物語の最後に、トランプはレディとの間に子供を作り、鑑札を与えられて家犬になるのだけど、子供の頃はいつも微妙な気持ちになったものだ）。

「俺」と「僕」問題

バンドのアルバムが出て、雑誌やwebのインタビューを四十本近く受けた。毎回少しでも違うことを喋ろうと努力をするもののさすがに限度がある。「制作はいつから始まりましたか」「タイトルの意味は」「制作にあたって聴いていた音源は」……これらの答えがブレてしまってはいけない。なので同じ話を終日同じメンツですることになる。会議室の疲れ切った空気。対策を練らねばいけないと本気で思っている。

それよりもインタビューというのは、後日書き起こして編集された原稿がメールで送られてくる。それをミュージシャンは修正したり、しなかったりして送り返す。人によって修正、さらには加筆する（実際は話さなかったことを書く）派と、全くスルー派に分かれる。後者の方が絶対クールだと思うのだが、僕は圧倒的に前者だ。なので人様のインタビューを読んでいてもある程度はどっち派か分かってしまう。

　そこで、ある日気がついた。僕は普段の一人称は「俺」だ。インタビューでも「俺」。あまり面識がない目上の人には「僕」で、この連載は「僕」ｏｒ「ぼく」にしていて、「私」は人生で三回くらいしか使ったことがない（税務署に電話する時等）。インタビューの本数が多く、ライターや編集者たちにずっと畏まって「僕」だと疲れるので、インタビューでは「俺」に統一しようと内心決めている。が、原稿が上がってくると「僕」に修正されている場合が多くあるのだ。別にどうでもいいけどなぜ直すのだ、と不思議だった。たぶん他のメンバーが「僕」を使うから、先方も一人称の書き分けが面倒で「僕」に統一しているんだろう。だけどそれだけの理由だろうか。かつてテレビで吉田拓郎が言っていた「昔さ、地方かどっかで取材を受けた時に、インタビューの時は〈僕〉って言ってるのに雑誌をみると〈おいら〉になってんの」という話を思い出す。

　男性の一人称問題。マツコ・デラックスの一人称は「私」だが、もし仮に「俺」だったり「僕」と言い出したら相当イメージが変わるだろう。

「私さぁ、ああいう女が一番嫌いなの」
「俺さぁ、ああいう女が一番嫌いなの」
「僕さぁ、ああいう女が一番嫌いなの」

二つ目の「俺」と「なの」のコンビネーションは若干珍しいが、自分はこれが一番イヤミに感じる。三つ目、「僕」と「なの」にそこはかとなく漂う昭和のインテリ感が懐かしい。他にも故大島渚監督が

「私はノサカを許さない、馬鹿野郎」
「俺はノサカを許さない、馬鹿野郎」
「僕はノサカを許さない、馬鹿野郎」
「おいらはノサカを許さない、馬鹿野郎」

と言ったとして、このグラデーションも味わい深い。もちろん大島監督は実際にこ

ういった発言をしてない。これは野坂昭如ｖｓ大島渚のマイク殴打事件に由来するが、この場合「僕」が一番鬼気迫るように感じる。「おいら」に至っては完全にビートたけしになってしまった。

海外アーティストのインタビュー、歌詞、あるいは洋画の字幕、吹き替えにおける一人称の設定も気になる。同じアーティストのインタビューでも訳者によって一人称が違い印象が変わった、という経験がある人もいるだろう。そもそも国内盤のCDを余り持っていない（歌詞の対訳が入っていない）ので統計を取った訳ではないが、ざっとCD棚を見たところ、R&B、ヒップホップは「俺」、ニューウェーブは「私」、レゲエは「俺」もしくは「オレ」、その他はほぼ「僕」という傾向だった。R&B勢の中でも内省的とされるアフリカ系アメリカ人のフランク・オーシャンは「俺」と「僕」どっちが使われているんだろうか。その選択から訳者がミュージシャンやそのジャンルに抱くイメージが垣間見える。いずれにせよ、一人称がパーソナリティ（のイメージ）に与える影響って想像よりもデカいと思う、僕は。

女性はどうだろう。女友達で一人称が「僕」――「ボクっ子」てやつ――なのはかつて二人いたが、一人は次第に「私」に変わって行き、もう一人は最近会ってないので現状は知らない。「オレ」を使う友達もいた。そういえばギタリストの田渕ひさ子がボクっ子だという話を聞いたことがある。女性が「ボク」「オレ」と名乗ったらインタビュアーは原稿で「私」に修正するだろうか。絶対しないだろうけど。

研究熱心な僕は小学校の時に、自分のことを「私」と試験的に呼んでみた時期がある（なので、最初の方に書いた「三回くらい」というのは大人になってからの話だった）。理由はシンプルだ。大人と女性に憧れていたからである（ションベンくさい男子が嫌だった）。つまり、大人が使う丁寧語としての「私」、女性性を纏うための「私」、そのどちらも含意したつもりだった。どういう結果になったか。「なんで〈私〉なのー、気持ち悪いー」と言われただけだった。そんなもんだろう。結果的に、僕はそれまで使っていた「俺」を中学時分は、とりあえず「僕」にシフトすることにした。そして、一人称に対してこうした執着を抱くようになる。

iPhone SF

「iPhoneが欲しいのでパチンコにいってきます」

彼女はそう言って家を出て行った。狩人が獲物を狩りに行くときのような頼もしさ。ぼくは「いってらっしゃい」としか言えない。数時間後、猟銃で撃ったウサギや鹿ではなく、CRエヴァンゲリオンを打ち使徒を殲滅した彼女は、現金五万円を持ち帰る。ぼくは尊敬の眼差しで見つめる。金はないが欲しい物がある、だったらパチンコ、というシンプル過ぎる彼女が好きだ。そして「一緒に買うと安いから」という理由により、ぼくはお気に入りだった韓国製ガラケーを解約し、iPhoneを買うことになった。八年前の話だ。なんのこだわりもないので未だにその時のiPhoneを使っている。ボロ過ぎてアップルミュージックとかそういうのは使えない。

ありきたりな話だが、ｉＰｈｏｎｅに限らず、スマホ、ひいてはその中で一番強力なファンクションであるネットが消し去った、縮小させたモノを挙げたらきりがない。カメラ、メモ帳、スケジュール帳、ポータブルＣＤプレイヤー、ｉＰｏｄ、小型ゲーム機等々。それによって人々のカバンはどれほど軽くなったのだろうか。グーグルの会長は以前「インターネットは消える運命にある」と発言したらしい。その真意は、簡単にいえば「あらゆるガジェット、デヴァイスはネットに接続され、その存在をわれわれは意識しなくなるだろう」という回りくどい話だった。要は「モノのインターネット」、ＩｏＴ化の話だ。なんだそんなことかよ、と思う反面、この発言はスパイク・ジョーンズの『ｈｅｒ／世界でひとつの彼女』で描かれた近未来の世界を思い出させる。映画の中で、主人公の中年男性は、音声のみの存在である人工知能のＯＳと恋におち、ヴァーチャルセックスをし、暗い部屋に浮かび上がるホログラム状のスクリーンでゲームに興じる。この世界ではまさにガジェットの存在感は希薄だ。

ものすごい曖昧な記憶で書くので多少の間違いはご容赦願うが、アンリ・ベルクソンという哲学者は「目があるからものが見える」のではなく「目があるにもかかわらずものが見える」というオカルトめいたことを言っている。例えばタカやワシのような猛禽類はヒトに比べ精度の高い視力を有する。両者の能力はなぜ大きく違うのか。それは猛禽類の方に強く見ようとする意志があるからだ（という話だったと思う）。要は目が視覚を可能にしているのではなく、生物には「見ようとする意志」が先にあり、その意志が目の細胞を形成する。しかし、猛禽類以上に「見る」ことが必要な生物がいるとしたら、果たして「目」は「見る」ことに最適な器官なのか。生物は目という組織によって視覚が「制限されている」のではないか、という意味だ。つまり視覚の発達において目は邪魔だ、といえる。元・グーグルの会長ことエリック・シュミットは、IoT化をスキャンダラスに語っただけだが、その発言はベルクソンの発想と似ている。

情報をA地点からB地点へ伝える時、その途中に媒介物が少なければ少ないほど情報はクリーンなまま伝えられる。生物のように（人格を有するOSのように）ネットが「接続しようとする意志」を持つならば、音楽や写真を人間に届ける際に邪魔なのは、CDプレイヤーやカメラといえる。それらはスマホにとって代わられた。しかし、それでもまだインターネットは消えない。グーグルの会長とベルクソンを合わせ味噌にして言うならば、「スマホがあるにもかかわらずネットに繋がっている」のだ。つまりネットの「接続しようとする意志」はスマホによって「制限されている」。

それでもなお『her』のような、あらゆるガジェットがネットに接続された未来が到来したとしても、映画の中において邪魔なモノがある。主人公と人工知能のヴァーチャルセックスはテレフォンセックスのように音声だけで行われる。主人公の男性は自慰にふけり、人工知能のOSは喘ぎ声をあげる。滑稽だが物悲しいシーンだ。そこで疎外されているのは人間の身体だ。ネットは人間に接続しようとするが、身体が邪魔なのだ……とはいえ、この先に想像されるのは『ニューロマンサー』や『攻殻機動隊』のように人体がインターフェイスとなって直接ネットワークに接続される、古くからあるSFのテーマだろう。身体を使わない意識と意識のセックス、という古臭いSFのような、胡散臭い宗教のような想像力が働いてしまう。

スマホやタブレットに機能を一本化することは、意外にも宗教的な問いを誘発する。

それは本当に必要か？　その本質は？　音楽におけるＣＤの円盤やブックレット、ケースは本当に必要だろうか。音楽を聴くとき、それらは余分な情報ではないのか。データ化された音楽はパッケージや物質としての重力から解放されているので、より音の本質と向き合えるような気がしてくる。いや、実際本質的なのかも知れない。しかしスマホは多くのモノを消し去ったが、最低限のモノ、ガジェットしかない空間は、禅宗の僧侶の生活を想起させる。サブスクユーザーは、文字通り天から降り注ぐ音楽を直接耳に入れる訳だが、知らず知らずのうちに厳しい修行を行っているように思えてならない（人類は皆、真理を追い求める修行僧だろうか？）。修行の中で俗物を捨てていくように、ネットがいずれスマホを消し去る、というのはそこまでトンデモ話ではないだろう。

イメージの本の亡霊

吉祥寺パルコの地下二階にできた映画館、UPLINKにようやく初めて行き、ゴダールの新作『イメージの本』を観てきた。ここには以前「リブロ（LIBRO）」というかつてのセゾングループの本屋が入っていてよく通っていた。ちなみにリブロはスペイン語で「本」という意味、セゾンはフランス語で「季節」、パルコはイタリア語で「公園」。言語がバラバラに見えるが、全て地中海に面する国々だ。七〇年代に提案された渋谷の都市計画は、街を地中海に見立てるものだったらしい。センター街が海で、スペイン坂を登るとイタリアの公園に出る、といった風に。

『イメージの本』は過去の膨大な映像と少しの撮り下ろし、絵画、テクスト、音のコラージュによる散文のような美しい映画だ。そして、戦争と紛争についての映画だといえる。全五章からなるこの作品の第一章「リメイク」には「アーカイヴのモラル」と題されたパートがある。ニュース映像も劇映画も含めた大量の映像がコラージュされ、次第にフィクションとノンフィクションの境界が消失していく中、一瞬だけ『ジョーズ』のワンシーンが引用される。蓮實重彥はそれを受けてこう書いている。「『ジョーズ』（一九七五）の鮫の鋭い牙など、それを機首に描いた第二次世界大戦中の邪悪な爆撃機の「リメイク」にすぎないと、スピルバーグを揶揄している」。スクリーン上で鮫と爆撃機がカットバックによってつなぎ合わされるのは、ゴダールからスピルバーグへの手厳しい批判だ。しかし、映画はただ現実のリメイクなだけではない。プロダクション・ノートによれば映画の歴史は「広義のリメイクの連鎖で成り立っており、現実世界の悲劇もまた映画のリメイクの様相を呈している」。映画は現実世界を写し取る（撮る）だけではなく、他方で現実もまた映画のリメイクといえる。9・11の時に多くの人がテロを指して「映画のような」という表現を用いた（シュトックハウゼンは「偉大な芸術」と呼んだ）。虚構と現実は頻繁に相互侵食を起こす。湾岸戦争ではニュース映像がテレビゲームを想起させるので「ニンテンドー・ウォー」と呼ばれた。

『イメージの本』と同年に公開されたスピルバーグの最新作『レディ・プレイヤー1』に出てくる台詞「現実こそがリアル」はまさにゴダールと対極にあるといえる。『レディ・プレイヤー1』で描かれるVRの世界を抜け出た後の「リアルな現実」は、しかし、そこもスピルバーグが築いた虚構の中でしかない。そして劇場が明るくなり映画の外に出たつもりでも、映画をリメイクしたかのような現実に出くわす。

本作の原題は『LE LIVRE D'IMAGE』だ。本屋の「LIBRO」も、ゴダールの「LIVRE」も共に「本」を意味し、同じ場所の違う時間に二つの「本」が空間を作っていたと考えると面白い（関係ないがカエターノ・ヴェローゾの名盤は『livro』）。映画を観終わって館内をウロつきながら、本屋だった時のレイアウトをパラフィン紙のように脳内で被せてみる。エレベーターの位置は変わっていないのでそこを起点に、かつての雑誌コーナーや文庫、人文書、芸術書棚の場所を思い出していく。『イメージの本』で引用される膨大なテクストや絵画は、かつて書物や画集として同じこの場所に置かれていたはずだ。映画内で読まれるテクストの一部をランダムに挙げてみるとアルトー、ドストエフスキー、フォークナー、バルザック……無くなってしまったように見えるかつての「LIBRO」（リブロ）は、「LIVRE」（リーブル）として再来する。同じ「本」として、形を変えて回帰する。

ここでジャック・デリダの「亡霊学」を思い出さずにはいられない。こんな説明が一般的だ。フランス語の動詞「revenir」はまさに「再来」を意味し、その名詞形「revenant」は「亡霊＝再来するもの」という。こう考えると、本の亡霊があの場所を彷徨い、スクリーンに取り憑いたような錯覚を覚える。デリダにおいて、亡霊とは反復可能性を意味する。『ジョーズ』が邪悪な爆撃機を反復するように、現実世界の悲劇が映画を反復するように、デリダは「悲劇的なものは反復の不可能性ではなく、反復の必然性である」と書く。* 第二次世界大戦は一回きりで終わるわけではなく、『ジョーズ』として反復される。ゴダールも、デリダもそれこそが悲劇なのだといっている（共に一九三〇年生まれの両者はお互いのことをそれほど評価していなかったらしいが）。

本作のラスト近く、ゴダールは自身のナレーションで以下のように語る。「たとえ何ひとつ望み通りにならなくても、希望は生き続ける」と。字幕だけを追っていると、妙に楽観的なこの言葉に違和感を感じる。あの難解を極める監督とは思えない。しかし、その声は不気味でしわがれた老人の声をしている。その場面でゴダールは、ちょっと笑ってしまうくらい——死期が近いかのように——呟き込む。まるで亡霊の声のようだ、というのは言い過ぎか。しかし、このナレーションを一面的な希望として短絡するのは違うだろう。戦争が映画の中で形を変えて反復され、現実世界の悲劇が映画を反復する。それと背中合わせになって希望は亡霊のように彷徨い続ける。そういった亡霊のタチの悪さと併せてあのナレーションは理解したい。ゴダールは「たとえ何ひとつ望み通りにならなくても、(亡霊のように)希望は生き続け(てしまう)」と語っているように思う。

＊：引用箇所と亡霊に関する指摘は東浩紀『存在論的、郵便的 ジャック・デリダについて』(新潮社、一九九八年)のもの。デリダは『エクリチュールと差異』のアントナン・アルトー論「残酷劇と上演の封鎖」において前述のように書いている。

ブラジルの手話教室を想起するまで

手話ニュースが好きだ。特に深い意味はない。ＢＧＭがなく、キャスターの私見もなく、余計な編集が施されていないので分かりやすいから、というシンプルな理由だ。それに手話をほとんどポルトガル語程度しか解さない自分は（「こんにちは」と「ありがとう」のみ）ニュースの内容に照らし合わせ気合いで解読してみる。あの手の動きに言語が埋め込まれている、という魔法めいた感慨を抱くのは、手話を操る人にとって心外なことだろうか。それはジャズメンの演奏に感情的な賞賛しか送らない批評家の態度に似ている気がする。

そんな折り、手話ニュースを見ていたらこんなトピックがあった。〈〇〇機関のアンケートによれば、昨今、メールやＬＩＮＥのやり取りにおいて「オッケー」を「おけ」と省略していると答えた若者の人数が全体の五〇%を上回った。これを受けて専門家は「現代の若者が常に社会の中で焦りを感じていることの表れではないか」と指摘した〉この牧歌的なニュースに思わず「ほんまかいな」と関西人に一番嫌われる関東人による似非《えせ》関西弁をテレビに向かって言ってしまった（ぼくはテレビに向かって話しかけてしまう）。

真偽を確かめてみる。まず手話による「オッケー」と「おけ」の差異はどう表現されるのか、注視してみたが判別できず。次は口に出してみる。「オッケー……おけ……オッケー……おけ……」少なくとも自分にとって発音における労力の差はない。むしろ「おけ」の方がネイティブの発音に近いかも知れない。最後に、携帯を取り出しフリックする。「オッケー……おけ……オッケー……おけ……」これは確かに「おけ」の方が楽だ。だが、自分よりずっと若い十代の子は生まれながらのフリッカーなはずで、この些細な動作の違いに労を感じるのだろうか。何より、アンケートに答える余裕があるのは暇人しかいないだろう。

どうしてこんなことになったのか。「専門家」が件のアンケート結果を受けて、「若者は焦りを感じている」という診断を下す時、真剣な面持ちで答えたのか、「とりあえず何か言わなきゃ」という使命感から苦し紛れに答えたのかは分からない。どちらにせよ彼、彼女の中には「現代はハードで生きづらい」という時代認識が横たわっているのは確かだ。もし専門家の認識が「現代はハッピーで最っ高に楽しい」あるいは「現代は平常運行中。ふつうの状態」だったら、あの牧歌的なアンケートから、かような指摘をしたとは思えない。本当にどうでもいいとしか言いようがない「オッケーとおけ」の違いから「若者の焦燥感」を導き出すなんて、出来の悪い風刺劇のようだ。

いま、自宅で、電車で、学校で、会社で、ベッドの中で、幸か不幸かこのページを開き、この一文を読んでいるこの瞬間。とある批評家は自身の才能に絶望しきって今まさにビルから飛び降りようとしている。同じこの瞬間。ブラジルの手話教室ではポルトガル語による「オッケー」の手ほどきがなされている。生徒たちは初めて覚えた手話に喜びを抱いている……もちろんこれはフィクションだけれども、世の中には不条理な落差が溢れている。

今年の九月にぼくが所属するバンドceroと、シンガーソングライターの前野健太とでライブをした。前野さんと知り合って六、七年になるだろうか。所謂「対バン」したのはこれで確か三回目だ。彼のライブの最中、その一回目についてMCで触れられた。「ceroと初めて対バンしたのは高円寺の円盤というCDショップで客は五人くらいだった。そんな二組が今日はリキッドルームでやっている」僕は内心焦った。まさかミュージシャンのあるあるサクセスストーリーとしてこのMCにオチをつけるのではないか。もしくは「俺らはあの頃と変わらないスタンスでやり続けてここまできた」というクリシェに陥ってしまうのか。どちらになっても、キツい。そしたら後でさんざんイジってやろう、先輩だけど。しかし、前野さんはその後の言葉を継がずに、また演奏を始める。「今の時代がいちばんいいよ」という曲。これは日和見でも、皮肉でもないはずだ。今の時代がいちばんいいよ、と歌うのはとても難しい。反論がつきまとうからだ。しかし、それは翻って現実に目を向けさせる力があることではないかと思う。この曲で歌われているのは、どれほど最悪な時代にも、日常的に平和な風景が立ち現れてしまう「ままならなさ」なのではないだろうか。

ピルグリム

苦手なことの一つに「友達のあだ名がいつの間にか変わっている」というのがある。新しいあだ名でも旧あだ名でも、呼びかけるのがどうにも恥ずかしく、主語がはっきりしない歯がゆい言葉遣いになってしまう。現在付き合いがある中で最も古い友人である柳智之のことを、僕と友達のサドゥは「カミ」と呼んでいた。なぜ「カミ」というかは割愛するが、とにかくそんなハマりの悪いあだ名は長続きしなく、仲間内では元々のあだ名である「ヤナ」としか呼ばれなくなった。なので、僕は彼の呼称を失い、「ねぇ」とか「あのさぁ」と呼ぶ。しかし、便宜上ここでは「ヤナ」と言うことにしよう。ところで僕のあだ名はヤナがつけた。彼は一時期「〇〇ぴー」と周囲の人間全員を呼ぶのにハマっていて、自分のあだ名はその残り滓だ。脱力した響きが嫌だったが、今は嫌いでも好きでもない。ヤナのことを全く知らない人に自分のあだ名を呼ばれると不思議な気分になる。

車を停めて、ヤナに電話したのは夜十時過ぎだった。

「あのさぁ、今何してる？　昨日の今日で悪いんだけどドライブ行かない？　日野に夜景がいいとこあるらしくて……」

彼は現在イラストレーターとして活躍していて、僕の家から歩いて十分くらいの場所にアトリエを構えている。高校時代からの付き合いで当時からいくつか一緒にバンドをやり、卒業後も一緒に音楽をやっていた。彼がバンドを辞めてもう十年近く経つ。しばらく連絡を取らない時期もあったが、家が近くなったのもあり、こうして時折また遊ぶようになった。

前日の深夜から朝にかけてもヤナと「庄や」で飲んでいた。アトリエへ向かう最中、ふと三十半ばにもなって高校の友達と連日遊ぶなんて自分は大丈夫なんだろうか、と思う。それに日野とか、夜景とか、ドライブとかいっていていいのだろうか。すぐにアトリエの前に着く。ヤナは僕の車を見つけると軽く手を挙げてから助手席に乗り込む。

曰く「車に乗るのは今年初めて」らしい。九月の初旬にしては涼しいので窓を開ける。二十分で行って、二十分滞在して、二十分で戻って、一時間で帰って来よう、と僕は車を出す。仕事でもないのに友達と二日続けて会うことなんて滅多にない。通常、この歳で友達と遊ぶというのは、数カ月ぶりに会うということを意味するので、ちょっとした興奮と話題に事欠かないものだ。しかし僕らは今朝方まで、あいちトリエンナーレ、長期化する香港のデモ、最近観た映画とネットフリックス、本、音楽について論を交わしたばかりなので大きなトピックスはほぼ消化し尽くしている。昨晩とは打って変わって取り留めもない話をする。それはさしたる用もないのに友達と灰皿を山にして連日ダラダラ喋っているような感覚を呼び起こした。

二〇一一年の冬のこと、ヤナがまだバンドにいた時に僕らは初めて四人だけで長野へ日帰り遠征に出た。メンバーは高城、橋本、荒内、柳。震災の少し前、バンドのファーストアルバムが出た直後のことだったと思う（この時のことはヤナがどこかの雑誌に書いている）。免許を持っているのは僕だけなので当然運転手は自分しかいない。

長野へ着き、遠征初心者らしくたっぷりと観光をし（善光寺でお戒壇巡《かいだんめぐ》りまでした）、リハーサルを済ませる。この時点で僕らはかなり疲れている。ライブがどうだったか記憶が定かではないが、爆音で演奏したことだけは覚えている。そして僕は旅ということで浮かれていたのか、ライブハウスから遠からん所に「皆神山《みなかみやま》」というＵＦＯ発着スポットとして有名な霊山があるのを事前にリサーチしていた。第二次大戦中に首都移転の候補地として塹壕が掘られた山でもあり、台形型の奇妙なフォルムをしている。細野晴臣、中沢新一の共著『観光』に皆神山が出てきたか定かではないが、長野の戸隠において両者の対談が組まれている。しかも彼らはＵＦＯラヴァーであり、『観光』の一読者として是非とも皆神山を踏破したいと考えた（細野―中沢の真似事がしたかっただけともいえる）。既にイラストレーターとして仕事を始めていたヤナは締め切りを控えていたが、行っていいか、と尋ねると、そんなに時間がかからないなら、と答えた。

ライブハウスの店主に皆神山のことを伝えると、是非とも行きましょうと終演後に車で現地まで先導してくれることになった。演奏を終えて、店主の後を車でついていくと、雪こそ降っていないが次第に周囲の残雪が高くなっていくのがわかる。三十分ほどかけて皆神山の麓に着き、暗く湾曲した坂を登ることになった。しかし長野の真冬である。路面が凍結していてタイヤは空転とスリップを繰り返し、遂には前に進むことが出来なくなった。そこで僕ら四人は車を坂道の途中で乗り捨てて、店主の小さなバンにチェーンを巻くとそちらに乗り込んだ。一体何が自分たちを駆り立てていたのか。

ほどなくして山頂に着く。オカルトめいた期待とは裏腹にヘッドライトを消して車外へ出ると、静かで澄み切った空気が流れていた。明かりは一切ない。暗闇の中で軋む雪の音が印象的で僕は珍しく携帯のボイスメモを回した。しばらく店主の後について歩いていくと開けた雪原のような場所に出る。眼下には街の灯りが光っていた。とにかく静かで寒く、UFOのことはすっかり忘れていた。

思っていたよりずっと時間がかかった。深夜に長野を出発して中央道で帰京する。車内でヤナがイラついているのがよく分かった。しかし、僕は疲れ切っていてどうしても眠気に耐えることが出来ず、サービスエリアに入るとベンチで仮眠を取らせてもらうことにした。既に三時か四時だったと思う。ふと目を覚ましたら、誰もいない食堂の端でヤナが一人で仕事をしているのを見つけた。僕はヤバい、とだけ思って皆んなを呼んで再び車を走らせる。解散場所の吉祥寺に着く頃にはすっかり日も昇り、朝の渋滞が始まっていた。家まで送るとヤナに言ったものの車はどうにも進まない。そして、もうバスで帰るよ、と彼は車のドアを強く閉めてどこかへ歩いて行った。これが直接の原因ではないにせよ、しばらくしてヤナはバンドを辞めた。だが彼が絵の才能を開花させているのを見るにつけ、本当に正しい選択をしたのだと勝手に誇らしく思っている。

日野の夜景スポットに近づき、坂道を登っている途中で僕は長野のことをいつの間にか反復している気がした。車内ではヤナがYouTubeでウガンダ・トラのメロウな曲をかけている。良い曲だ。車を停めてグーグルマップに従い夜景がよく見えるという公園を探す。同じようにウロついているカップルが何組かいたが、公園を見つけられたのは何故か自分たちだけだった。夜景は美しかった。しかし圧倒的に自分が感動するポイントが変わっているのが分かる。それは友人の結婚や出産に驚かなくなったことや、酒の席で鼓舞しあうのが白々しく感じるようになったことや、音楽でも映画でもエモさに易々とノレなくなったことに似ている。悪いことではないと思う。一時間で帰るはずが、デニーズに寄ってからヤナをアトリエの前まで送った。それじゃ、といって彼はドアをバタンと強く閉めたが、それは車に乗り慣れていない人が発する勢い余った音だった。

僕はプールに行くようになった

僕が二十歳だった二〇〇四年頃は自分を含め、よく遊んでいた友達のほとんどがブログをやっていた。ブログブームの時代。当時のネットは「つなぎ放題」とか「パケット定額」といった言葉が出始めたくらいで、ダイアルアップ（懐かしい）をして、ネットに接続した分だけ課金されるのがまだ主流だったと思う。今みたいに「気になることがあったら検索」という発想自体、ほとんど誰も持っていなかった。ネットでやることと言えば夜中に友達のブログを巡回することくらいで、三十分もしないうちにすぐ切断する。友達が当たり前に長めの文章を書くのが面白くて好きだったなぁ、ブログ。その中で、友達のTくんが書いていたものが面白かった。

「二十歳になって一人暮らしを始め、銭湯に行って鏡に映った自分を見ながらヒゲを剃る。なんだかすごく年をとったような気がする。今や水に濡れてシワシワになったプールの出席表を遥か遠くに感じる」彼は文章がうまくてもっと情緒的に書いてあったが大意はこんな感じ。ずいぶん老成しているが、当時の僕にはこの文章がすごくリアルに感じられた。「シワシワになったプールの出席表」の喚起力よ。プールサイドに座ってするバタ足の練習と水しぶき、目に良いとはとても思えないT字型の洗浄用水道（?）や、更衣室のカビくささ、を一気に思い出させる。まだまだ子供だったけど、その一節は自分も大人になったのか、と感慨に浸らせるのに充分だった。

この文章、二十歳にとってのノスタルジーと一緒に時代感も強く入っていると思う。当時の僕も、おそらくTくんも、プールなんてもう一生縁がないと思っていた。死ぬまで旧社会主義国の北マケドニアやモンテネグロに行かないだろうな、となんとなく思っているように。金もないし、それだったら「珈琲家族」（吉祥寺にあった喫茶店）でアイスコーヒーが飲みたい。レコードや本を買いたい。「SMALL MUSIC」（高円寺にあったレンタルCD屋）でUSインディーのCDを借りているような若者の間では、「文系で、ちょっと病気っぽいのがかっこいい」という価値観がまだまだ幅を利かせていた。そういう文化圏でアクティブな奴はほとんどいなくて、今みたいにロックバンドの人が当たり前にスケボーやっているのは当時、かなり珍しかった(スケボーはパンクとヒップホップ好きな奴にほぼ限られていた)。とにかくプールとは遠くにありて思い出すものでしかなかった。

それでも時は過ぎ、僕はいつの間にか夏になると必ずプールに行くようになった(自分が好きなのは市民プールやフィットネスではなくて、ウォータースライダーがあるようなアミューズメント系のプール)。もともと泳ぐのは好きだけど、何かはっきりとしたきっかけがある訳でもなく、本当にいつの間にかプールに行くようになった。先日も泳ぎに行ったばかりで今背中と肩が日焼けで赤くなっている。昨年のニュースで、日焼けを避けて海水浴の利用客が減少してナイトプールに人が流れているといっていたけど、実際には日中のプールも人でごった返している。

その時、件のTくんのブログを思い出した。子供時代のプールを懐かしんでいた自分たちも今やはるか昔。こうしてプールに来るようになったのは、自分の生活環境が変わったせいだろうか、それとも「文系で、ちょっと病気っぽいのがかっこいい」とかつて感じていた人々もプールに引き寄せられる目に見えない潮流があるんかな、と流れるプールに流されながら考えてみた。あると思うんだよなぁ、プールのBGMでかかっていても差し支えないインディーズの音楽って増えたよなぁ。かつてのUSインディー代表格であるセイント・ヴィンセントやダーティー・プロジェクターズがここ数年でR&B化したことと、自分がプールに行くようになったことも無関係ではない気がする。もしくはフランク・オーシャンにおける、R&B的なマチズモと内省的な表現の統合が、かつての「病み」に取って代わったみたいな……自分が知る限り、こういう感じって今までなかったなー、と思う。そうやって（海パンで）思いを巡らせているうちに、たまたまネットで見た「今年も引き続きビキニは上下別柄がトレンド！」という記事の事実確認に自分の興味は移っていった。

夕方、富士そばへ寄ってから帰路につき、鼻歌で大貫妙子の「海と少年」をフンフン口ずさむ。ター坊はプールに行くのだろうか。富士そばに行ったことはあるだろうか。筋トレやスケボーはどうだろう。北マケドニアやモンテネグロには行ったことがあるだろうか。

二十世紀の最後、ぼくはヤンキーから走って逃げていた

自分が生まれ育ったのは東京の郊外にある府中市と国立市という所のちょうど境界のあたりで、ものすごく雑にいえば前者は競艇、競馬場、刑務所の街。ユーミンの「右に見える競馬場　左はビール工場」の街だ。治安が悪いわけではないが地方都市の平均値くらいヤンキーが生息する。後者は駅前に風俗店やパチンコ屋を建ててはいけないという文教地区指定を受けていて、いわゆる学園都市。RCサクセションの「多摩蘭坂を登り切る手前の」の街。学生とヒッピーの残党と意識高い系のマダムが主に住んでいる。ぼくは府中の中学校に通っていて吹奏楽部でホルンをやっていたが、誰しも匂いと記憶が直接結びついているように、思い出深いのは、マウスピースの鉄と唾液が混ざった匂い、もう一つは、ポカリと鉄っぽい味が混ざった匂い、というの

がある。嗅いだら一瞬でトべると思う。

高校一年の夏というものは、まだ中学の同級生と会って遊ぶくらいの繋がりが保たれている。高三にもなれば誰とも連絡すら取らなくなったが、そんなもんだろう。夏休みのある日、同級生だったO川とSとOちゃん、他にも誰かいた気がするが中学のすぐ横にあったグラウンドに集まって花火をしていた。あれこれ取り出して着火させたり、Sはロケット花火を手に持って投げるのが得意だった気がするが、そんな風にワイワイやっていた。よくある一コマ。しかしある時、自分たちから三百メートルくらい離れた所に異変を感じた。ヤンキーの集団、六、七人がグラウンドに入場してくる。ヤンキーといっても昨今のマイルド～みたいなやつではなく、後々少年鑑別所に入ることになるガチ勢だ。ぼくはこの兆候にいち早く気付いた。絶対からまれる。ちょっと散歩しよう、とSを誘いグラウンドに併設された市営プールの裏手へ歩いて行った。しかし、ヤンキー達が目をつけたのは残した友達ではなくぼくらだった。学んだこと。からまれそうになったら目立つ動きをしてはいけない。

プールの裏手に人通りはまったくなく、街灯もほとんどないところに彼等はゾロゾ

筑摩書房　新刊案内

● 2020. 4

●ご注文・お問合せ
筑摩書房営業部
東京都台東区蔵前 2-5-3
☎03(5687)2680　〒111-8755
http://www.chikumashobo.co.jp/

この広告の定価は表示価格＋税です。
※刊行日・書名・価格など変更になる場合がございます。

荒内佑

小鳥たちの計画

webちくまの人気連載、待望の書籍化

バンドceroで活躍する荒内佑の初の著作。シャープな思考と機知に富んだユーモアで紡ぐ〈日常の風景〉とそこに流れる音楽や映画たち。人気連載待望の書籍化。

81549-1　四六判（4月22日刊）予価1300円

高峰秀子／斎藤明美

高峰秀子　おしゃれの流儀

鏡台、着物、手袋、靴、愛車、ドレス……。没後10年、閉ざされていたクローゼットが今、開く！　高峰秀子のセンスを凝縮した永久保存版。

87910-3　A5判（4月中旬刊）予価1800円

白象の会 著　**近藤堯寛** 監修

空海名言法話全集〈全10巻〉

空海散歩　第5巻　法を伝える

空海の名言に解説と法話を付す名言法話全集。第5巻は「法を護り」「教えを伝え」、悟りに向けて歩むべき道を指し示す。

71315-5　四六判（4月17日刊）2400円

6桁の数字はISBNコードです。頭に978-4-480をつけてご利用下さい。

好評の既刊

＊印は3月の新刊

喫茶店の時代
林哲夫 ●あのとき こんな店があった
人々が飲み物を楽しみ語り合う場所はどのようにして生まれたのか。コーヒーや茶の歴史、そして作家や文化人が集ったあの店この店を探る。（内堀弘）
43645-0 1000円

アサイラム・ピース
アンナ・カヴァン 山田和子 訳 その叫びは、美しい歌になる
43603-0 860円

沙羅乙女
獅子文六 こんなに面白い小説がまだある!!
43601-6 840円

御身
源氏鶏太 60年前の禁断の恋愛小説、遂に復刊!!
43609-2 780円

わたしの中の自然に目覚めて生きるのです 増補版
服部みれい 悩みの答えを見つけるには
43611-5 680円

森毅 ベスト・エッセイ
森毅 池内紀 編 生きるのがきっと楽になる。
43615-3 950円

赤塚不二夫のだめマンガ
赤塚不二夫 三振でホームランのマンガなのだ!
43621-4 780円

父が子に語る日本史
小島毅 次の世代に何を伝える?
43624-5 800円

温泉まんが
山田英生 編 白土三平、つげ義春、楳図かずお、他収録
43631-3 780円

したたかな植物たち ●あの手この手のマル秘大作戦【秋冬篇】
多田多恵子 眠れなくなるほど面白い植物の本!
43619-1 950円

家族最初の日
植本一子 家族で過ごした、素晴らしい瞬間の数々がここにある
43627-6 980円

独居老人スタイル
都築響一 ひとりで生きて、何が悪い。人生の大先輩16人のインタビュー集
43626-9 1000円

やっさもっさ
獅子文六 〝横浜〟を舞台に鋭い批評性も光る傑作
43638-2 840円

エーゲ 永遠回帰の海
立花隆 須田慎太郎［写真］ 伝説の名著、待望の文庫化!
43642-9 1000円

高峰秀子の流儀
斎藤明美 没後10年の今読みたい、豊かな感性と思慮深さ
43630-6 860円

鴻上尚史のごあいさつ 1981 - 2019
鴻上尚史 「第三舞台」から最新作までの「ごあいさつ」!
43636-8 1200円

小川洋子と読む 内田百閒アンソロジー
内田百閒 小川洋子 編 最高の読み手と味わう最高の内田百閒
43641-2 880円

＊土曜日は灰色の馬
恩田陸 とっておきのエッセイが待望の文庫化!
43647-4 720円

＊向田邦子ベスト・エッセイ
向田邦子 向田和子 編 人間の面白さ、奥深さを描く!
43659-7 900円

6桁の数字はISBNコードです。頭に978-4-480をつけてご利用下さい。

4月の新刊　●11日発売　ちくま学芸文庫

近代日本思想選
西田幾多郎
小林敏明 編

近代日本を代表する哲学者の重要論考を精選。理論的変遷を追跡できる形で全体像を提示する。『日本文化の問題』と未完の論考「生命」は文庫初収録。

09981-5
1600円

メソポタミアの神話
矢島文夫

「バビロニアの創世記」から「ギルガメシュ叙事詩」まで、古代メソポタミアの代表的神話をやさしく紹介。第一人者による最良の入門書。（沖田瑞穂）

09987-7
1000円

中国禅宗史
■「禅の語録」導読
小川隆

唐代から宋代において、禅の思想は大きく展開した。各種禅語録を思想史的な文脈に即して読みなおす試み。〈禅の語録〉全二〇巻の「総説」を文庫化。

09964-8
1300円

米陸軍日本語学校
ハーバート・パッシン　加瀬英明 訳

第二次大戦中、アメリカは陸海軍で日本語の修得を目的とする学校を設立した。著者の回想によるその実態と、占領将校としての日本との出会いを描く。

09973-0
1100円

6桁の数字はISBNコードです。頭に978-4-480をつけてご利用下さい。
内容紹介の末尾のカッコ内は解説者です。

ロとやって来てぼくらはかち合った。「オマエ、アラウチの弟だろ?」背は一六〇センチ足らずの筋肉質でリーダー格のやつが言った。実はぼくは彼を知っていた。兄の同級生だったのだ。しかし、話したこともない奴が突然エラソーにしやがって、と内心思っている世間知らずなぼくは、理由なんてどうでもいい、ただ人が殴りたい彼にエサを与えてしまった。口を半分ほど開いて軽く喉を鳴らす、一音だけ。言葉にすると「うん」。「テメェ、なんでタメ口なんだよ」と襟元を掴まれる。とっさに、すいません、と謝ったがスタートボタンは既に押されている。そして何を思ったのかグイグイせまってくる彼めがけて自分から一発手が出てしまった。と、同時に取り巻きの軍団が一斉に飛びかかって来て生け垣に押し倒される。木の匂いがふわっと香る。学んだこと。突然親しげに話しかけてくる奴には気をつけた方がいい。SNSも然り。

映画『恐るべき子供たち』の冒頭で子供達が放課後に雪の中を走り出すシーンにも、『牯嶺街少年殺人事件』で不良グループが公園の中を走り回るシーンにも、とにかく少年達が大挙して走りまくるシーンになぜか異様に感情移入してしまうのはこの時の経験のせいだろうか。もちろんその時のぼくはメルヴィルも、コクトーも、エドワード・ヤンも知らなかった。とにかくぼくは走って逃げだした。「待てコラァ」と後方から叫び声が聞こえる。そんなのテレビでしか聞いたことない。ほとんど無心だったが、ヤンキーはヤンキーを演じているのだと感じた。

そんなに走っていないはずなのだが、彼らはメンドくさくなったのか追いかけるのを諦めぼくは逃げ切った。喉が渇いていたので自販機でポカリを買う。ヤバい、みんな置いて来ちゃったと思うのも束の間、ふと見ると白いオーバーサイズのTシャツが血で真っ赤になっている。興奮していて気付かなかった。ポカリでうがいをすると口の中がパックリ切れているのが分かった。買ってもらったばかりの携帯でO川に電話をするとOちゃんの嗚咽が聞こえた。

腹立たしかった。ヤンキーのことじゃない。東京の郊外で花火をやっているのも、Oちゃんが泣いているのも、ポカリを道端に吐き出してる自分も、O川がかばってくれるのも全て既視感があって安っぽく感じる。それまで自分が十代で積み上げてきた、周囲とは違う「特別なこと」が台なしになるような感覚——「世界文学全集をこれ見よがしに読む」「レンタルビデオ屋でゴダールや大島渚、ベルトリッチを借りる」「音楽のテストで好きなミュージシャンにアート・リンゼイを挙げる」等々が崩壊していく。今や、シェイクスピアはヤンキードラマのプロットへ、ヌーヴェルヴァーグはカラオケの使い回し映像へ、ノーニューヨークは郊外のプールの裏手へ引きずり込まれた。学んだこと。自分のような一般人は暴力に対して気の利いた反応はできない。あるいは平凡さが明るみに出るだけなのかも知れない。

その翌年、SとOちゃんの間に子供が出来て二人は高校を辞めて結婚した。繊細だったSは無免許で車を乗り回すようになったりして心配したが一度だけ麻雀を教えてもらったきり会ってない。子供のお祝いを、と思っていたが何を贈ったらいいのかも分からずそのまま連絡も取らなくなってしまった。数年して二人が別れたらしい、と人伝に話を聞いた。

最近、そのグラウンドにほど近いコンビニに行くことがあってレジで驚いた。Oちゃんそっくりの女の子が接客をしている。名札を見たら同じ名字だ。もしかしたら子供だろうか、親戚かな、と話しかけそうになったが思い直してコンビニを後にした。

郊外の子供たち

昨年末から今年にかけてぼくが買った物。ポータブルCDプレイヤー、そこそこ良いCDプレイヤー(据え置き)、鉛筆削り(手動)、ビデオカメラ。十年くらいまえならどの家庭にもあったものだが今はどうだろう。全部持ってますよって人の方が珍しいはずだ。主にだが、ぼくはいまだに音楽をCDで聴くし、わざわざレコ屋に赴いて買う。そしてタワレコとかディスクユニオンの店先でCDのパッケージをビリビリッと開けてプレイヤーにセットする。DENONのそこそこ良いCDプレイヤーはリモコンがついているのが最高だ。ははは。音もいいけどCD棚の上にプレイヤーが鎮座しているだけで素敵な気持ちになってくる。鉛筆削り。ぼくはシャーペンとサインペン派だが、録音スタジオには必ず鉛筆削りが置いてあって、手慰みに鉛筆をガリガリと削るのが好きなので自宅用に購入した。削りたいがために三菱のＨＢも二本買った。それで譜面を書くことも増えた。モノって素晴らしい。そしてビデオカメラ。遠出したりする時にカメラを回し、深夜にテレビと繋いで一日を振り返る。ちょっとヤバいでしょう。スマホの動画にはそそられない。テレビに映してしまえば、同じ映像なのだけど、そこには大きな隔たりがあるように感じる。

二十一年前の十二月、小六のぼくはドラマ製作で多忙の日々だった。クリスマスに友達の家で開かれるパーティーでの上映会に向けて撮影に明け暮れていた。要は自分くらいの年代なら誰しも経験したであろう「親のビデオカメラを持ち出して友達と適当に話をつくるやつ」のことだ。小学校最後の作品になるはずなので大作にしようと意気込んだ。以前にも撮影経験があって（ぼくの処女作は友達がカメラの前まで走って来て「うんこ」と言う作品）、新しいカメラが家にあったので必然的にぼくが監督、カメラマンを務めた。内容をほとんど覚えていないが刑事物だったのは確かだ。東京出身といっても郊外なので、地元には戦中に掘った防空壕がそのまま残っているような雑木林の裏山があった。寒い中、白い息を吐きながら友達と自転車で集まって、格闘シーンをそこで撮った記憶がある。音に関しては少し特別だった。ぼくは当時から宅録をやっていて、親にフリマで買ってもらった8トラックのMTR（カセットテープに何トラックも音を重ねて録音できる機械）を持っていたのでビデオカメラの音を一旦MTRで録音し、シーンごとに図書館で借りて来た効果音集から打撃音や銃声をつけていった。劇伴は何かのCDのカラオケトラックを使った気がする。果たして出来は、というと全く記憶にない。ただ友達とゲラゲラ笑い転げながら作業をして、上映会にいた女子たちが苦笑していたのだけはよく覚えている。

往々にして人は自分が生まれ育った場所が退屈かどうかなんてそこを出ないと分からない。比較の対象を知らないからだ。ひとつ言えるのは、ぼくらは冬の鬱蒼とした裏山の中にいてもビデオカメラがあったので最強だった（数年前、その裏山に死体が遺棄されていたというニュースを見たが納得するしかなかった）。稚拙もいいところだったがアイデアと、少しの機材と、友達がいればだいたいたいのことは楽しい。かくしてクリスマスが過ぎて冬休みになると誰にも会わず一人でビデオを再生するようになった。今と大して変わらない。自分以外誰も見やしないのにMTRで更に音を加えたりして不思議な数日間を送った。学校で聞き慣れたはずの友達の声をヘッドフォンごしに聞いて編集する。テレビ画面ごしに友達を見る。何度も見過ぎてもはや笑えもしない。ただ、映像の内容はほとんど忘れているが、そのとき自室から見えた冬の曇天はよく覚えている。灰色と白の中間色だった。

VIDEOTAPEMUSICの「煙突」という曲がある。ライブでその曲がプレイされる時、ＶＪでスクリーンにゴミ焼却場の煙突の姿が延々と映し出される。煙を吐き出し、航空障害灯が明滅を続ける映像。実家を出て久しいぼくは自分の地元が来訪者にとってどれほどありふれた場所に見えるか分かっている。退屈で、退屈で、退屈な街に生まれ育った者にとって東京のランドマークは、東京タワーでもスカイツリーでもなく点在するゴミ処理場だ。煙突に見下ろされて白い息を吐きながら友達と集まって遊ぶ。ぼくと同世代で似たような東京の郊外で育った彼は学生の時にこの曲をつくった。ビデオカメラで撮影した煙突の姿に音を足してみる。リズムトラックはガラケーの着メロ機能で作られている（らしい）。大それた楽器がなくても、アイデアと少しの機材があればいい。「煙突」にぼくは共感しかない。渋谷が地方都市化してるって誰かが言ってた。古い店は軒並み潰れてチェーン店ばっかり増えてるそうだ。もし嘆いてる人がいたら教えてあげよう。郊外の子供たちは優雅で感傷的でタフである。やり方次第でいくらでも楽しめるだろう。

同級生というものは別段仲が良くなくても「同じ団体に属している」という理由だけで、一緒に遊ぶものだ。

小中の同級生だったKもそういう奴の一人だった。色白でガリガリ、授業中はギャーギャーうるさく、嘘もつきまくる、同級生からのプロップスはゼロ。イジメられていた訳ではないのだけど、教師から疎まれているのも子供ながらはっきりと分かった。

祖父から聞いた戦争体験談をKに話したことがある。小四の時だ。僕の祖父は戦後シベリヤで捕虜となり、凍傷の影響で右手の小指の先が欠けていた。そこで同じく捕虜になったドイツ兵の話、その時じゃがいも（馬鈴薯）を食べ過ぎて嫌いになった話、船で日本に帰ってきた時に朝靄の中から陸地が見えて涙した話、なんかが僕のお気に入りだった。よせばいいのに、そんなエピソードをKに披露した翌朝、クラスに入るや否や「お前のじいちゃん人殺し〜」と絡んできた。バカなかまってちゃん、と今なら思えるだろうか。とにかくその時はKを捕まえて鼻血が出るまでぶん殴った。

大人のケンカは歳を追うごとに修復が難しくなっていくが、しかし、子供の人間関係というのはどうなっているんだろう。そこまで言われてもなお、僕はその後もKと何度か遊んだのだった。

ある日、僕はKの家に一人で行くことになった。多分スーファミで自分が持っていないソフトがやりたかったのだと思う。他にKの家に行く理由が思いつかない。一軒家のリビングは少し日当たりが悪く、その薄暗さは落ち着いた印象を与えた。大きなケージにアメリカンショートヘアーみたいな猫が二匹。静かな家だな、と思った。何よりも自分が知っている母親像とは違う、若くて綺麗な母親がいた。そういえば、今思うとKも綺麗な顔つきをしていた。それにしても「同級生の母親」というのは自分の子を学校とは違う呼び名で呼んだり、かと思うと急に怒り出したり、ポテトチップスをくれたりする、他所の子にとっては甘えていいのか分からない恐怖の対象だ。この母親は息子が「お前のじいちゃん人殺し〜」と言ったのを知っているのだろうか。もし僕がそれを糾弾し、Kがクソほど怒られたとしても最終的に母親は自分の息子を守るだろうな、というのが直感的に分かる。僕はそんな奴の家にわざわざ赴きスーファミをプレイし、お菓子と麦茶までご馳走になっている。どういうことだ。

家にいるKは静かだった。ケージの猫も大人しかった。特に話すこともなく黙々とスーファミをこなした。どのくらい時間が過ぎただろう。僕は「ちょっとトイレ」と言って席を立つ。ゲームに夢中で膀胱が限界だった。家の静寂を破らぬよう、そっとトイレに入る。そして、便器の前でチャックを下ろしたその時だ。自分の意志とは全く関係のない動きを見せた。それはアメリカのホームドラマに出てくる中流階級の家、そこの芝生に無造作に置かれたホース、勢いよく水が注入されると生物のようにのたうち回る、大人も子供も犬もみんな笑顔。そういうことだ。もしくは夏の校庭のスプリンクラー。捕獲から逃れようと必死な蛇。カオス理論。男性なら誰でもあること。しかし、この時は勢いが違った。壁という壁、床という床、服という服、ジャクソン・ポロックもかくや、という筆致。便器は本来の役目を失い、ただ鎮座するだけ。

どうやって解釈すればいい。祖父に続いて僕も陵辱されるのだろうか。これはKをぶん殴った罰だろうか。はたまた神様が仕組んだKへの復讐。いや、どっちでもいい。そんなことより服がびしょ濡れだ。このままあの薄暗いリビングに戻ったらなんて言われるか分からない。幸い、トイレは玄関脇にあった。そこで僕は帰ることにした。何も言わずそっと帰宅し、服を着替えた。そして、これが今でも不思議なのだけど僕はKの家へ戻った。全身違う服装で。三十分以上の空白とトイレの壁画。しかし、その間誰もトイレを使わなかったのだろう、気づかれていないようだった。Kには「お前、うんこしてただろーうんこうんこ」と言われ、僕は内心ほくそ笑んで「もう帰る」とすぐさま再び帰宅した。


翌日、登校した僕を見つけたKは半ば怒ってるような、嬉しそうな顔で駆け寄って来る。

「アラウチー、お前ウチでしょんべん漏らしただろ〜?」

僕は準備していた文言を口にするだけだ。

「おまえ……とい…こわれ……」

さすがに無理を感じたのか一瞬怯んでしまった。

「しょんべん〜しょんべん〜」

後には引けない。

「……お前ん家のトイレ、壊れてたんだけど」

「は？　ウソだね〜」

「便器の水が溢れた」

「しょんべ……」

「壊れてるって」

「しょ……」

「トイレ壊れてるよ」

「え……そうなの」

時に人生は論理や整合性よりも、捏造、隠蔽、押し切りが必要であることはいうまでもない。

不健康な美しさ

「禁煙化が進む国はファシズムへ向かう」とは誰の言葉だったろうか。ナチスドイツの反タバコ運動を思い出すまでもなく「禁煙ファシズム」という言葉があるくらいで愛煙家は国家が進める禁煙運動を危険視している。東京オリンピックに向けて、書くのも（読むのも）かったるいが「受動喫煙対策法案」が国会に提出される予定だし、渋谷のハチ公前喫煙所も撤去された。かくいう自分のタバコ歴も人生の半分を超えたので、喫煙所探しの面倒臭さは知っている。だが、禁煙ファシズムを糾弾している名だたる著名人に楯突くつもりは毛頭ないが、愛煙家は依存性持ちだしニコチン中毒だし「ファシズム」とかいうには少しばかり説得力に欠けるのでは……と思っている。肩身の狭さを実感しているのは確かなのだけれど。

禁煙化の流れの中でこれはヤバい、と思うのは国家がどうのこうのというより一般人が時折見せる過剰な嫌煙っぷりだ。コンビニなんかの前の喫煙所でタバコを吸っていると通りすがりの輩に「ゴホゴホゴホゴホゴホゴホ」なんてされたりする。実際にタバコが苦手だったら申し訳ないのだが、これは誇張ではなく（というか輩が誇張しているとしか思えない）本当にあることだ。思想家の戸坂潤はこんなのを「制度習得感」と言ったりする。つまり国家や共同体が敷いた制度（この場合は禁煙運動）が個々人の中に内在化し定着すること。そこに主体的な判断はない。言うなれば、優等生ぶった小学生が廊下で走った奴を捕まえて「言ーってやろ〜言ってやろ〜先生に言ってやろ〜」と騒いでいるのと変わらない。先生という権威の言いつけを守ることに喜びを覚える、と。子供はいい。だが、大人でそんなことをするの、あまりに幼稚だ。

もう何年も前の話。Mちゃんという友達の音楽家と二人で演奏した。彼女はとても美しく、大正時代の図録から抜け出して来たようなモガ（モダンガール）スタイルをよくしていて、大学では音楽美学を学んでいた。少し変わった、しかし、とても聡明な感性を持った子だ。そんな彼女と演奏の打ち上げ代わりに喫茶店でお茶をした時のこと（ちなみにその子は非喫煙者だ）。「あれ、あらぴー（ぼくのこと）、今日タバコは？」「いや、持って来てないんだよね」

話をしているとどうやら彼女は喫煙を健康に良い、悪いといった観点から全く見ていないらしく、まるで人類学者がネイティヴ・アメリカンのタバコについて研究するような関心を抱いている。

「えーなんでー」「いや、なんとなく……」

彼女にとってタバコを吸うという行為そのものが不可思議に映るようだ。

「えー吸えば良いのに」「いやいや、大丈夫大丈夫」

喫煙を容認してくれる子を褒めそやす、というわけではない。後日、Mちゃんから来たメールには「その後タバコを買って吸ってみました。甘い味がしたけどわたしにはやはり合わず少し咽せた……云々」とあったのには思わず笑ってしまった。あまりに昔のことで文脈は忘れてしまったがそのメールには「健康な美しさと不健康な美しさ」と書かれていたのを覚えている。「不健康な美しさ」なんてさすが大正ロマン派、デカダンだなあと感心したが、しかし、彼女の言葉を以てしてタバコを称揚する訳でもない。喫煙に関して、今日日、「賛成か反対」という貧しい二項対立以外に出会うことなんて一体どれほどあるだろう？　健康と値上げと禁煙についてしか語られないことにうんざりする。

タバコは音楽や映画等の芸術に似て（イコールではないが）有用性から見れば無駄で、浪費でしかない。あらゆる無駄なこと、余剰が動物と人間を隔てるのだ、とは思想家のジョルジュ・バタイユがよく言うことだ。彼もタバコについて言及している。狂人的なイメージとは裏腹に喫煙に関する現代の言説と照らし合わせれば、その言葉のおおらかさに多少なりとも驚くだろう。これが書かれたのは一九四一から一九四二年とされている。ちょうどナチスがフランスを占領し始めたころだ。

「（前略）喫煙する者は、周囲の事物と一体になる。空、雲、光などの事物と一体になるのだ。喫煙者がそのことを知っているかどうかは重要ではない。煙草をふかすことで、人は一瞬だけ、行動する必要性から解放される。喫煙することで、人は仕事をしながらでも〈生きる〉ことを味わうのである。口からゆるやかに漏れる煙は、人々の生活に、雲と同じような自由と怠惰をあたえるのだ」

……なんて気取り腐っているんだ。これは言い過ぎだろう。こっちが恥ずかしくなる。

二〇一四年宇宙の旅／火星からアルタ、近過去へ

十年単位で世の中を見ていくとき、時代が経つにつれ〇〇年代風というのは次第に曖昧になっていくものだ。専門的なレビューでもない限り、多くの人は六〇年代と七〇年代のロックを同時代のものとして語るだろうし（聞こえるだろうし）、もっといえば明治と大正の違いもだいぶ曖昧だ。鎌倉時代と室町時代なんて自分にとってはただ呼び名が違うだけの同じものだ。

二〇一六年にリリースされたブルーノ・マーズの新曲「24K Magic」のサウンドは80's のファンク／ブギースタイル（AWA2016ではファンカデリックの名曲「(Not just)Knee Deep」を引用してた）だが、2016 MTV EMAs出演時の服装は90's リヴァイヴァルの象徴の一つであるトミー・ヒルフィガーのセットアップだった。この80's

と90's リヴァイヴァルのどっちつかず感、そこから90's リヴァイヴァルの斜陽を感じたんだけど、誰かこれ指摘してる人いるかな、オレだけかも、と考えていたら、いてもたってもいられず余談から始まってしまった。それでなんだっけ。そう、書きたいのはブルーノとかディケードのことじゃなくて近過去についてだった。

話はいきなりブルーノ・マーズ（の火星）から新宿のスタジオ・アルタへ飛ぶが、YouTubeを見ていたら一九八四年三月（僕が生まれるだいたい七カ月前）に黒柳徹子がテレフォンショッキングに出演した「笑っていいとも！」がおすすめされていたので何の気なしに見てみた。他のコーナーをすっ飛ばして四十数分間喋り続けた記録に残る回。喋りまくるトットちゃんが「あ〜おかしくて鼻が出た」と言ってティシュを顔に当てると観覧客が爆笑する、という今では考えられない牧歌的な時代、集団的な躁状態を見て感慨に浸ること数分。その後、PC上に現れる「いいとも！」のおすすめ動画をいくつか見て回る。黒柳徹子が出た最後の回や、ビートたけしが彗星の尾のように八〇年代の毒を少しだけ漂わせた最終回（父親の英才教育により僕の笑いの基準は「ひょうきん族」である。話が逸れまくるがアキラ100%はたけし軍団の私生見だ）等々。そして時計を見て少しだけ驚いた。僕はちょうど昼の十二時から十三時までの間、つまりかつての放送時間の間、過去の「いいとも！」のアーカイヴをシャッフルしていたのだった。

なんだかSFな気分になったのでテレビをつけてみた。もちろん「いいとも！」も、その後にあった「ごきげんよう」も今はナイ。いや、これじゃただネットサーフィンしてテレビ見てる奴じゃないか。それにしても「いいとも！」が日本の昼のタイマーだったとか、ある年齢層が共通して知っている学校を休んだ時に見る特別な感じとか、終わらない日常とか、「いいとも！」の「も」にアクセントが来る言語感覚とか、そういうサブカルっぽい話も今となっては遠くに感じる。あえて何か言うのなら、自分にとって「いいとも！」が終わって三年経ったということは、番組の不在よりも、近過去を強く感じさせた、ということか。

テレビを消して少し考えてみる。三年前はどんなだったっけ。ツイッターも、インスタグラムも、フェイスブックも、ラインも既に「ある」社会。今は二〇一七年だけど、後に語られる二〇一〇年代はこんなだった、という話においては顧みられない三年の差。しかし今年で三十三歳の自分にとって三年前は三十歳な訳だが（当たり前だ）、その間に小学四年生は中一へ、中一は高一へとトランスフォームしてるのだ。言うまでもなく、三十代と十代の三年間のスピード感は全く違う。「いいとも！」のアーカイヴを見ていたら、一時的に十代の時間感覚になった気分だった。高校生がやたら中学の同窓会をやりたがるみたいに、一九八四年の動画よりも二〇一四年を、つまり近過去をとても懐かしく感じたのだ。仔細に見れば森羅万象何にだって変化はあるし、百年単位で見れば何も変化していないかも知れない。子供が生まれて歩き出し言葉を話す三年間、テレビの置かれた場所が変化しない三年間。

社会の過去の出来事について、ネット誕生以前なら図書館でメモを取ってあれこれと文字にするだけで価値があった訳だが今は誰でも知ることが出来る。なので個人的な三年前を考えてみる。一つ例を挙げるなら日本人の九九・九％と同じく「トランプ」と言ったらカードが五十二枚あるやつ、「なるほど！ザ・ワールド」のマジシャン、『わんわん物語』の主人公しか知らなかった。まぁそんなことは言いたい放題だけど。あなたはどうだった？　三年前、どこで、何をしていただろう。二〇二〇年から見て三年前は何をしていた？　二〇二三年の三年前、東京オリンピック以外で覚えていることある？

サマー・ナーヴス

昨日まで箱根にいた。宿泊先は山中のコテージだ。周りの宿泊客も寝静まった頃、テラスに置かれた椅子に座ってみた。東京では聞いたことがないセミの鳴き声。避暑地の空気。思うことはただ一つ。人並みにカネ持ったなぁ、である。僕は耳たぶが小さいのだけど、子供の頃から母親に「あんたは金持ちにならないだろうね」と何度も何度も言われていた。そして実際カネに困った。しかし、金持ちとは到底いえないが、夏に一回旅行するくらいにはなった（シケモクを拾うようなことはなくなった）。そんなことより、耳たぶと収入は関係がない。バカと大足は関係ない。貧乏なのは自分がダラダラしていたからだ。カネがない二十四、五歳の頃の夏は家で料理をしていた。

当時、東京の西荻窪という街に住んでいた。荻窪駅と西荻窪駅の中間、生協の近く、善福寺川沿いにあるアパートの三階。彼女と一緒に住んでいて、僕は遅刻が多過ぎて天職だと思っていた映画館のバイトを春先でクビになり終日プラプラしていた。金はないけど時間はあり、書きながらいま気付いてしまったが、半年くらい、若干ヒモだったとも言える。どんな生活をしていたかと言うと、朝かろうじて起きて彼女が仕事に出るのを見送り、二度寝して昼過ぎに再び起きてテレ東でやっているB級映画を見ながら夕飯の残りか、ペヤングの超大盛を食べる。気が向いたら楽器を触り曲をつくる。たまにスタジオに練習に行く。改めて振り返ると、あまりにベタなバンドマン像を地で行ってて、現在、僕は苦痛で顔が事故直後のビートたけしのようだが、まぁそういう時期があった。いや、むしろ、今時こんなステレオタイプのやついるだろうか。いるかも知れないが、今の自分が知っている二十代のミュージシャンと当時の自分を比べてはいけない。彼等彼女等は素晴らしい。演奏もうまい。考えがはっきりしている。金も音楽でちゃんと稼ぐ。

夏になってもバイトを見つけようとしない僕を見かねてか、彼女は僕に料理研究家ケンタロウのレシピを伝授した。肉じゃがとパクチーサラダ。暑いし金もないのでとにかく家にいる。旅行なんてとんでもない。だから後にも先にもあれほど真面目に料理に取り組んだことはない。ケンタロウは天才だ。小粒の新ジャガを皮付きのままで半分に切り、その面に焦げ目がつくまでフライパンで焼く。あとは牛肉とインゲン。ウスターソースを投入。なぜだか玉ねぎは入れなかった。とにかく、ぼくのようなズブの素人でさえ、レシピ通りに作っても、多少間違っても、物凄く旨くできる。いうなればバカラックのスコアを誰が演奏してもその素晴らしさが失われないのに似ている、と考えながら出来上がった料理をタッパに詰めていく夕方。角部屋だったので、西日がこれでもかと射している。連想が止まらなくなる。西日、太陽、ランボー、「永遠」、また見つかった。何がだ？　肉じゃが。パクチーサラダの手順はどんなだったっけ……頭がごちゃごちゃしている人は料理をしたらいい、とどこかで聞いた。確かにそうかもな、と思う。耳たぶと収入は関係ないが、料理と思考は関係がある気がする。

アパートは三階建てで、最上階に住んでいた。部屋の横にはボロいが広い共用バルコニーがあり、そこからさらにハシゴを登ると屋上に出る。バカは大足と関係ないが、高いところが好きだ。料理を終えて、いっときの充実感を得るとよく屋上に上がっていた。だいたい決まって宵の口、マジックアワーだ。新宿のビル群は見えないが、荻窪のルミネがその代わりにある。住宅地の隙間には帰宅ラッシュの中央線が走っている。管理用の屋上なので柵も手すりもない。恐る恐るハイハイをしながら下を覗く。うおー、何度見ても三階とはいえそれなりに高い。落ちたら即死ではなくて、痛い思いをして死ぬだろうな……そういえば中原中也の命日は自分の誕生日と同じだ。しかし、しみったれた有名な詩人の命日と自分は関係ない。耳たぶと収入も関係ない。それより料理の手順を覚えるほうが自分にとって重要な課題である。

Twinkle, Twinkle, Bound 2

東京の空には星が見えない、という俗説は嘘である。伊丹十三ならどう言うだろう——ありゃ〜ウソですね、そんなの上京して来た田舎もんが望郷の念に駆られて作り出した幻想だよ。だって、ご覧なさい。東京の夜の空を。目を凝らせばそれなりに星が瞬いている。そりゃあ田舎の星空には負けるかも知れない。だけど毎晩ザラメをまぶしたような星空を見てたんじゃ飽きるでしょう。甘ったるくてしょうがない。こうして砂金を探すみたいにね、ネオン街の中で星を探すってのがビタースウィートで良いじゃないの——しかし伊丹十三はこんな口調ではなかった気がする。

こと座のベガ、わし座のアルタイル、はくちょう座のデネブ、三つの一等星を結んであれが夏の大三角形か、と夜空を見上げる人は現在どれほどいるだろうか。もちろん僕に星座の知識があるはずなくてこれは〈夏　星座〉の検索結果だ。学校やプラネタリウムで知った星座の配置を思い出しながら夜空を眺め「あれが白鳥か……全然白鳥に見えねぇ、どれがどの星か分かんね」というのが、それなりのあるあるだと思う。ちなみに一番リアルなのは星空＝スマホでうまく撮れない＝インスタにあげられない、だろうか。

今も昔も、星座に目を凝らして「オリオン」「水瓶」「天秤」と言われて膝を打つ奴なんていないだろう。「はくちょう座」と「わし座」は鳥の胴体と羽根がクロスしたほぼ同じ形のものだ。この二つを入れ替えたとして何も困ることはない。鳥の形っぽいものが複数あるので便宜的に呼び分けているだけ、というのは容易に想像がつく。よって昔の人々が「この星の配置は絶対に白鳥だ」という現代人をはるかに凌ぐ想像力があったとは思えない。昔の人々の方が想像力が豊かだというのは何かの思い込みだろう。そんなことより問題なのは、どうしてそこまで星々にイメージを投影したかったのか、ということだ。

もちろん航海の指標とするため。しかし、どうして「イメージ」を与えたのか。座標を作成するのではなく、どうして紛らわしい「はくちょう」や「わし」なんて言い出したのか。

名前が与えられる前の夜空はどのように見えていただろう。天体を「吉星」や「凶星」、「死兆星」とか分類するもっと前の状態。現代で星空を恐怖するのは幼児くらいだろうが、鬼火や提灯おばけのように、暗闇の発光体は元来不気味なイメージを持つ。正体を知り得ない光は恐ろしい。「死んだら星になる」という常套句があるのは星空があの世と同じくらい未知の世界だったからだ。呪われた我々は夜空を見上げて点と点を見つけたらそれを結ばずにはいられない。名前のない星空は混沌だ。未知のものには既知のイメージを、天上の星々には下界のイメージを投影せずにいられない。星座は人間の恐怖心が作り出したのかも知れない。

大昔の人々が星空に感じた恐怖を実感することはできないが、カニエ・ウエストの「Bound 2」のMVは同じくらい未知の世界だ。無駄に壮大なコーラスとファンキーなラップの二パートから構成されているこの曲は、発表当時こそ脈絡のなさに驚き、相当フレッシュに感じたものの、現在はそこまで珍しくないように思う（例えばマックルモア＆ライアン・ルイス「Downtown」は同じ構成）。問題は映像だ。ディスカヴァリーチャンネルかと思う程の自然の風景。山、谷、雲、星空、グランドキャニオンのような岩、馬。そんな風景をバックに、バイクで疾走するカニエが合成され、嫁のキム・カーダシアンがだいたい全裸で同乗している。この映像は未だに破格だ。意味が分からない。イケてる／イケてないという判断が出来ない。当時も今も同じ感想を持つ。未だ名前のない感覚。難解なハイファッションと言われればそうかも知れないが僕はこのMV、やっぱり凄いと思う。何年たってもこのMVを形容する妥当な言葉が見つからない。既存のイメージを与えようとするとカニエは逃げていってしまう（バイクで）。

「Bound 2」のビデオはナンセンスだ。星空にそもそも意味なんてないのと同じことだろう。YouTubeの評価（サムズアップとサムズダウンの数）は綺麗に真っ二つだった。未知のものは恐ろしく、人を困惑させ、時にイラつかせ、魅了する。捕まえられそうもないカニエを追いかけ回してしまう。それは何千年も鑑賞者に言葉を吐かせ続ける宗教画のようでもある――天蓋に描かれた天体図の中、カニエは星から星へと疾走する。全裸の嫁と共に。パパラッチには要注意。その軌跡を結んで浮かび上がる星座とは。

（ア）シンメトリック・ビューティ

いきなり自分の顔の話だけども、しかし地球上の全人類と同じく、左右非対称で出来上がっている。右目より左目が少し大きく、下顎が右側にずれていて、後天的なものだが子供の頃の怪我により、おでこの右上が若干の不毛地帯になっている（余談だが同じく怪我により後頭部に三ミリほどの円形ハゲがある。更に言えば右投げ左喰い、名前は〈右の人〉である）。顔面に限らず身体全体も多かれ少なかれ誰もが歪んでいる。背骨の歪みが音楽をつくらせる、と言ったのはたしか細野晴臣だが、先天的にアシンメトリーな人類は身体の上下左右のズレを正そうとする。

昔の話、小学生と関わるバイトをしていた。子供等が遊技場なんかで遊んでるのを

（半分寝ながら）見守るのが主な業務な訳だが、彼らの中には靴下を片方脱いで走る者がいる。その方が速く走れるとでもいうように、片足に靴下、もう片足は素足だ。それに加え、彼らは牛乳瓶のフタなんかで眼帯をつくるのを好む。そして戦いの果てに片足を引きずるふりをする。そうやってぼんやり子供を眺めていると、何か欠損している状態に美意識を感じているのは明らかで、アシンメトリーな状態に憧れているのがよくわかる（この傾向が男子に顕著なのはなぜだ）。もちろんこれは主にアニメ（ドラマ、映画）の影響であるのは間違いない。エヴァでもガンダムでも、自分の思い出で言うならメカゴジラも、ストーリーが盛り上がり戦闘が激化すると必ず片腕がなくなる、片目が破壊される、片足が撃たれる。これをぼくは勝手に「欠損萌え」と呼んでいる。ロボットものにおいてこのような場面が多いのは、生身の人間の手足や目がなくなるのはエグいから、という理由もあると思う。もちろんアニメや特撮に限らずヒューマンドラマでもこうした表現はある訳だが、この「欠損萌え」は一般的な感覚なんだろうか。子供がやっていたように眼帯が一番手軽に欠損を擬態できるアイテムだろうが、端的に「眼帯ってかっこいいじゃん」という冷静に考えるとよく分からない前提も割と多くの人に通じそうだ。とにかく興味深いのは物語のピークにおいて人工物であるシンメトリーなロボットが破壊されアシンメトリーな状態に変容することだ。

リドリー・スコットの新作『エイリアン：コヴェナント』を観た時に、エイリアンとアンドロイドの造形についてある発見をした。今回エイリアンは新たに白くてツルっとしたやつと、故ギーガーのデザインによるお馴染みの黒いやつ、三葉虫みたいな昆虫型が登場する。本作の主人公であるアンドロイドはマイケル・ファスベンダーが演じている。シンメトリー／アシンメトリーの視点で見た時、人間の見た目をしたロボットであるアンドロイドは左右非対称である。当たり前だ。人間が演じているのだから。そして生物（クリーチャー）であるエイリアンのほうがよっぽどシンメトリーな造形をしている。しかし、具体的な描写はないが、アンドロイドは人間の皮を被ったロボット、つまり中身はシンメトリーだ。そして彼は、片手を「欠損」する。物語のクリシェとして欠損したロボット（この場合アンドロイド）は全て破壊されることはなく（話終わっちゃうから）最終的にはどうにかこうにか勝利する、というのが定石といえる。では、コヴェナントではどうなるか。ある意味、定石を踏んでいるがここが話の巧みな所だ。物語の結末においてシンメトリー組、つまりエイリアンとアンドロイドが裏で手を組んでいたことが明らかにされる。

人間はシンメトリーとアシンメトリー、どちらを美しく思うだろう。仮にダ・ヴィンチの人体図における黄金比を美の基準としても、実際「シンメトリー顔」なんかで検索してみると、左右対称の顔はかなり異様な印象を与える。それは人工物に近い。しかし、顔面をシンメトリー化するアプリがあるくらいで、人間は非対称を矯正しようとする。そして顔面をアプリと自力によって調整し、自撮りをし、日常的に社会に晒すことは個人の顔面すら変形させるかも知れない。これは皮肉ではない。だって、エイリアンの造形をぼくは美しいと思う。百年後の子供たちはもっとシンメトリーな顔つきをしている、というのは言い過ぎだろうか。その頃には美醜の感覚も変わっているかも知れない。エイリアンの未来においては、シンメトリーが生き残るのだから。

風邪の効用の応用

今年の秋は日本の四季を圧縮したかのようにコートをクリーニングに出したかと思えば、翌日はTシャツで過ごしていたり、寒暖差がひどい。僕はこの一カ月の間、一週間風邪を引き（発熱あり）↓治り↓また一週間風邪を引き（発熱なし）↓いま若干治りかけの段階だ。症状は鼻水、咳、喉の痛みといったところ。あまりの不調続き、こないだ自分の顔面に死相が出てる気がした。完全に思考力を奪われた状態が続いていたのだけど、今回は風邪の対策としてこの一カ月で自分が取った行動のレポートをしてみる。それに対して野口晴哉《のぐちはるちか》著『風邪の効用』を照合し答え合わせをする。同著の主旨は、風邪とは「自然の健康法」であり「体の掃除になり、安全弁としてのはたらき」があるというものです。引用していくのでどんな本かは朧げに分かってくるでしょう。

〈「週刊プレイボーイ」を初めて買った〉

あ、風邪を引いたかな、と思ったのは東京から岡山へ向かう新幹線だった。岡山駅に着いて早速セブンイレブンでのど飴と水原希子が表紙の「週プレ」を生まれて初めて購入。別段、希子の大ファンではないが気になっていた特集なのでなんとなく買ってみた。肝心なのはグラビアではなく「生まれて初めて」だ。僕は時折、こうして操を破るのが好きだ。念のためグラビアに関して、半ケツや手ブラのショット多数の誌面は、〈乳首とか見えても別に構わん、モデルだし〉という自信に溢れ、おしゃれだなぁという印象。

これに対し『風邪の効用』を当てはめるなら「病気になりたい要求」(99ページ)だろう。曰く、「『あの人は自分を見てくれない、病気になれば親切にしてくれるだろう』と思うと病気になりたい要求が起こる」。どういうことか。人前で「生まれて初めて週プレを買う」ということは些細ながらも特別な行動であり、周囲に対して自分が普段と少し違う状態にありますよ、というプレゼンであるといえる。つまり、風邪を引いて親切にされたい願望と週プレを買ってちょっと注目を浴びたい願望が無意識下で手を取り合っていたのだ。風邪が週プレを買わせた、と。

〈「シティーハンター」の再放送を見る〉

たまたまテレビ欄で見つけた初代「シティーハンター」を毎週録画予約している。子供の時も、大人になっても正直話が面白いと思ったことはほとんどないが、何が好きかといえば「八〇年代　新宿」に尽きる。手短に言えば一九八四年東京の郊外生まれの僕にとって、八〇年代の新宿は手が届きそうで届かない、物凄い郷愁を湛えている。ソファで横になって見る「シティーハンター」はすっごい癒されるのだ。こないだアート・リンゼイも某雑誌で、若者が八〇年代を懐古したような音楽作品を多く作っている、というインタビュアーの言葉に対し「ヴァーチャル・ノスタルジーこそリアルだよね」と言っていた。イグザクトリー。

これに対応するのは「心を弛める」（55ページ）しかない。曰く、「『風邪がうつるといけないから、うつりたくない人は同じ部屋に寝ないこと』などと、特にお嫁さんの風邪などにはよくそれを言いますが、風邪というものはうつらないのです、本当は……。けれども一人で寝かせないと弛まない」という。要は風邪をうつしてしまう、うつされてしまうという緊張にあるくらいなら一人で寝た方がよっぽど良いということである。「やはり頭の中を空っぽにしてしまわなければいけない」。これに関して、自分がとった行動は理にかなっている。心、弛まりました。しかし、ハルチカ先生はこう続ける。「もっといけないのは寝ていてテレビを見ることです。これをやると目の疲労が胸椎三番に行って、呼吸器系統に異常を起こすのです。（中略）それがいわゆるテレビ風邪です」。もちろん今だったらネット風邪が主流だろう。PCに向かって原稿を書くなどもってのほかだ。

〈ラーメン屋に行った〉

「食」に関してはどうだろう。僕は麺類なら絶対ソバとパスタ派、その次がうどんとフォーで、普段ラーメン屋に自ら行くことはまずない。しかし、時折あぁあれ食べたいわぁと思うのは大阪の「揚子江ラーメン」と東京は西荻窪の「はつね」だ。こないだ「はつね」へ数年ぶりに赴き、ワンタンメンを注文した。調子が悪いとき、食欲があれば体に良い悪い関係なく食べたいものを食べることにしている。だって野生動物って喰って寝て治すんじゃないの、という大して根拠のない理由だ。

先生曰く、「風邪の時の食物」（64ページ）によれば「風邪を引いた時に食物を少し減らすというのはごくよいことです。水分の多いものを食べ、刺戟性の食物を多くする。病気といえばすぐに刺戟性の食物を慎むべしと考えていますが、風邪を引いた時には刺戟性の多い物がよい。生姜でも唐辛子でも胡椒でも何でも構わない、胃袋が冷汗をかくくらい突っ込んでもいい。その方が経過を早くします」。ワンタンメンは半ば正解ともいえるが、別の項目によれば血中の塩分が多いと血管が硬張《こわば》り、頭が重くなったり、肩が凝ったりするらしい。しかしワンタンメン、ウマかったから良しとしよう。

応用というより悪用になってしまった。しかし、『風邪の効用』は名著であり風邪を引いた際には枕元に置いておくのをおすすめする。「風邪は自然の健康法」、うまく活用すればデトックス効果があるということだ。僕の場合、ほとんど活用できていないが。風邪の後「蛇が皮をぬいだようにサッパリし、新鮮な顔つきになる」とあるように、気分が沈みがちな風邪と前向きに向き合える言葉に溢れている。ところで、この原稿を書きながら鼻をかみすぎて鼻血が出て来てしまった。

二〇〇八年に昭和を感じた

一九九九年は多くの人がノストラダムスの大予言を半ば本気で信じていた。一九八四年生まれの僕は九〇年代の間に義務教育を受け、ちょうど二〇〇〇年の春に高校に入った。ミレニアムといわずとも、個人史としても九〇年代と二〇〇〇年代の間には大きな隔たりがある。なにせ二〇〇〇年は死ぬほど、死ぬほど嫌いな中学から解放された上に地球滅亡を免れたこと、急にモテ出したことなどが重なり、毎日熱に浮かされたように幸福感を感じていた。調子に乗った僕は卒業後、教師たちの車のホイールに水風船を投げ込んだ。エンジンがかかると風船が破裂して水が撒き散らされる。さようなら九〇年代。

こないだ何の気なしにテレビで知らないドラマを見ていた。古い映像だ。主人公の男性は肩まであるロン毛、ヒロインと思しき女性は細眉、CGの粗さ、携帯はJ-PHONE、画質も考慮すると九六、七年のものかな、と予想を立てる。どこか陰鬱な印象を与えるのはなぜだろう。答え合わせをしようとドラマのタイトルを検索してみた。正解は二〇〇三年。

最近、平成の総括として二〇〇〇年代前半のテレビ映像がしつこいぐらい流れる。三十代以上の少なくない人が困惑しているはずだ。その九〇年代っぷりに。もっといえば昭和の長い残響に。僕の個人史としても、社会としてもミレニアムは大きな変革だと思っていたが、大したことなかったんだな、とボディブロウのように日々打ち込まれている。

確かに二十一世紀になっても中央線はまだ橙色のベタ塗りだった。実家の炊飯器は白地に花柄だった。ブッシュの前でプレスリーのモノマネをする小泉純一郎から放たれるのは、戦後、昭和のキツすぎる残り香だった。今世紀のはじめ、平成の前半はこんなにも旧態依然とした時代だったとは。

生前、橋本治が書いたように、年号の変更はただの言葉と数字の問題にとどまらず、個々人に影響を与える、というのは本当だと思う。昭和の終わりには時代と運命を共にするかのように、沢山の著名人が亡くなったという。しかし、実際問題、毎日誰かの命日だ。昭和の名優たちがその時代の終わりにみんな死んだかといえば全くそんなことはない。

むしろ九〇年代っぽさとか、昭和っぽさ、というのは確かにある訳だが、そういうのはダラダラ始まって、だらしなく終わる。よく故人を偲んで「まだ亡くなった実感が湧きません。きっとふとした時にあぁ、もういないんだな、と思うのかも知れません」というけども、そういうことに近いだろう。

自分が音楽業界といわれるものに出入りし始めたのは十年くらい前の二〇〇八年から二〇〇九年だ。当然といえば当然だが、そこには今よりもずっと前時代の残り香があった。当時はCM音楽のプロデューサー、Kさんにお世話になっていて、バンドの師匠に当たる鈴木慶一に出会ったり、スタジオミュージシャン見習いとしてCM音楽の録音もいくつかやっていた（しかもベーシストとして）。

そんな最中、ゲームクリエイターである飯野賢治と仕事をする機会があった。正確にいうと、Kさんが半ば無理やり僕らを売り込んで打ち合わせをし、数曲デモを提出しただけで、結局いつの間にか自分たちはそのプロジェクトからフェードアウトしていたが。自分がはっきり覚えているのは彼のマネージャー氏のことだ。

ある日の夜、バンドのメンバーとKさんで都内にある飯野さんの事務所へ赴く。大きなマンションの一階だったと思う。室内はダウンライトが灯っていて仄暗く、リビングの中庭側は一面ガラス張りだったと記憶している。テーブルの上には生ハムとルッコラが乗ったピザ。

飯野さんといえば、ポストゲームとでもいうようなジャンルを作り出し、九〇年代にその名を上げた人だ。とにかく、ただのボンクラにしてみればそこはあまりに有名人の事務所然としていた（飯野さんは知的で紳士、どこの馬の骨とも分からぬ僕らにも優しかった）。

そこへ件のマネージャー氏が現れる。五十代と思しき男性だ。肩からセーターをかけているテレビプロデューサー……実際、そんな身なりではないのだけど氏が醸し出す業界感は世間知らずな自分を昭和のテレビでも見ているような気分にさせた。

あらかじめ提出していたデモを受けて氏は、あぁいう朴訥とした曲というよりはエレクトロニカ、電子音の要素が入っている方がいい。音楽って結局アガるかどうかが大事だよね、と弁を振るう。そして僕は生まれて初めてそのワードを聞いた。

マネージャー氏曰く
「トゥイッター知ってる?」

「え?」

「いやぁ、トゥイッターはすごいよ。ユーストリームとの相性がいい」

「ユーストリーム?」

「こないだ○○さんも配信してたけどあの二つはすごい。帰ったら見てみて」

発音をバカにしている訳ではない。横文字の呼称が普及前は統一されない、というのはよくあることだ。というか、その未確認生物「トゥイッター」とは、「ツイスター」みたいなゲームのことだろうか。ルーレットを回して体がタコみたいになるやつ。

それがインターネットと関係あるのだろうか……。

頭をフル回転させて車が急発進するように、自分が分かったのは、おそらく「tw」を「ツ」や「ト」ではなく「トゥ」と発音していること。「ツイスター」を「トゥイスター」、「トワイライト」を「トゥワイライト」というみたいに。それは僕の祖母が「ソーセージ」の「ソ」にアクセントを置くことや、小林秀雄が「モーツァルト」を「モオツァルト」と書くことを想起させた。つまり昭和の発音だな、と思った。

時は二〇〇八年だが、次の十年で爆発的に普及する未知なる生物「トゥイッター」は、昭和マナーによって、もわ〜と自分の前に登場した。やはり九〇年代っぽさとか、昭和っぽさ、平成っぽさというのはダラダラ始まって、だらしなく終わるみたいだ。

ブック・ビルディング

仲良くなった友達の家へ、あるいは付き合ったばかりの恋人の家へ、初めて遊びに行くとする。そこで最初にすることは？　自分だったら本棚を見るのが好きだ。「あ、これおれも持ってる」とか「難しくて挫折したんだよね。読めた？　結局どんな内容？」とか言ったりして。あるあるでしょう。最近こんな会話をしてないことがちょっと切ないけど、そうやって話が弾んだりする。「え、林真理子読むの？」とか。で、いま原稿を書いている机の横には年末に一切片付けをしなかったため、本が積まれているので最上階から列挙してみようと思う。

『ぼくの伯父さん』（伊丹十三）

『百年の孤独』（ガルシア＝マルケス）
『百年後』（前野健太）
『ルポ 川崎』（磯部涼）
『アフリカ音楽の正体』（塚田健一）
『ペルーの異端審問』（フェルナンド・イワサキ）
『城』（カフカ）
『そら頭はでかいです、世界がすこんと入ります』（川上未映子）
『絶望論』（廣瀬純）
『小鳥たちのために』（ジョン・ケージ）

全部書くのが面倒なのであとは省くがこの下に文庫やらが八冊あって計十八階建てのビルが建設されている。睡眠時間を削って夢中で読んだものから、途中で投げ出したもの、なんとなく本棚から抜いてパラパラ読み直したもの等で構成されている。二〇一八年に十八階建てってことが少し嬉しいのと、気付けば「百年」ものが連チャンになっていること、ちょっとシャッフルしてガルシア・マエノって良いな、と思ったら下の方のフロアにはそんな名前のやつがいるなとか、愉しい気持ちで眺めている。川上未映子に関して、といっても内容ではないのだけど、ある日、本屋の本棚の前に立ち尽くして「おれは一生かけてもここにある本を全ては読めない。死ぬまで読むことのない著名な作家もいるのだ」と謎の虚脱感に襲われて一度も読んだことがない彼女のエッセイを買ってみた。ところでこのビルは既読と未読が混在しているのでいわゆる積読とは違う。なので住人が住む部屋と空き部屋で構成された雑居ビルみたいなイメージで、こういうのをブック・ビルディングと呼んでみる。

思い出深い読書体験といえば子供の頃、小学校の図書室で借りて読んだ『ガンバとカワウソの冒険』だ。何が良いって本がデカくて分厚い。ずっしりとしたボディとびっしり並んだ文字たちにウットリとしていた。それだけで手に取る理由は十分にある。またその数年後、生意気にもゴダールの映画なんか観るとデカくて分厚い本がアイテムとしてよく出てくるのが好きだった。『軽蔑』の「バスルームで咥え煙草で本を広げる」シーンは、一人暮らしを始めて真っ先に真似した。しかし、紙と水の相性が悪いのを痛感するだけだったのはいうまでもない。こうして小難しそうな本に手を出しがちな自分だが、もうひとつ印象に残っている読書の話。

ぼくが大学に入学して一番はじめに遂行したミッションは図書館に行き浅田彰のデビュー作『構造と力』を読む事だった。何故かは分からない。高校の先輩が浅田彰の話をよくしていたからかも知れない。しかし今思えば「タイトルがかっこいいから」という説が何より有力だ。一九八三年に二十六歳の天才が書いた現代思想書。思想書にもかかわらず十五万部売れたベストセラー。ファッションアイテムとして当時の若者が持ち歩いた。ニューアカデミズムブームの口火を切ったもの。しかしその内容を理解できる者はごく僅か。これらは『構造と力』について語られる際の定型文だ。

オリエンテーションだかを終えて僕は図書館に向かった。早速本棚から本書を見つけ出し窓際に置かれた読書用テーブルに座りページを繰る。一種のトランス状態に陥ったのだと思う。哲学に関しての知識はほとんどゼロだったが、日が沈む頃には全て読み終えていた。ただの一行も飛ばさずに読み終えた達成感と、そこに書かれた文字のほとんどが自分には何ら意味を成さない、理解できなかった挫折感がマーブルに渦巻いて椅子に深く座り込んだ。一切トレーニングをせずにマラソンをランナーズハイの状態で完走してしまうのと同じで、自分がどんな道程をたどり、どんな景色を見たのか全く分からない。

それまで自分が知っていたムツかしい本。例えばトルストイ、スタンダール、ドストエフスキーとかとは違う。親切に書かれた思想系の入門書とも違う。日本人が書いたはずの、自分がネイティブとするはずの日本語が分からない状態。一体何が書いてあるんだ、そうしてぼくは哲学にのめり込み……となったら美しいが、よくある話、既に音楽の方が楽しかったのでそうはならなかった。もちろん難解であることと意味が分からないことは(因果関係を結ぶことはあっても)等価ではない。しかし恥ずかしい話だが、自分にとってこの読書体験は、この世には意味が分からないものがある、という洗礼だった。それまで三角関数とか、人の気持ちが分からないとかは無数にあったが、この時意味が分からないものに対して大袈裟に言えば敬虔な気持ち、軽く言えば免疫ができたのは確かだった。もちろん難解で意味が分からないものがエラいという訳では全くない。だが『構造と力』が思想、哲学を切り刻んでファッション化した悪しき書と言われようと、二十年遅れのニューアカ体験はそんな気持ちを抱かせるのに十分だった。あれがなかったらフリージャズも、現代音楽も、ヌーヴェルヴァーグも、即行で投げ出していただろう。ミーハー心で行動していても少しは得るもんあったな、と思う。そうしてぼくは今でも未練がましく、ビルの建設に勤しむのだ。

何て小さな思考が

多くのミュージシャンがそうであるように人前で話す時も、普段の会話でも自然と凡庸なことは避けるようになってしまった。気の利いた質問と返答、フックのある言い回し、相手を唸らせる独自の視点。職業病なのか知らないが、こんな振る舞いは裏を返せば自分の感性が凡庸だと分かっているからだ。気の合う友達と飲みに行ったら楽しいし、親や友達が死んだら悲しい、恋愛映画を観たらキュンとしちゃう。そこに自覚的な分、自分はすこ～しだけ利口かも知れない。だけど誰としても愉しいのは季節の話だ。臆面もなくできる。出会ったばかりの友達や付き合いたての恋人と、どの季節が好きで、あるいは嫌いで、どんな所に魅力を感じるのか、散歩でもしながら教え合う。ぼくは五月が一番好きだ。

こないだ一日中歩いた日があった。よく晴れていて長袖だと暑い日。五月にはそんな時がよくある。もう日も暮れ始めて疲れきっていたので、公園のベンチで仰向けに寝そべって休んだ。そのベンチは大木を取り囲むようにして半円状の形をしている。こんなことするの久しぶりだ、ちょっと芝居じみてるか、とか考えつつ視界に入った木の枝葉をなんとなく眺めていた。風が吹いて葉がざわめき、夕陽に照らされ金色に輝き……もし十八世紀の詩人だったら、この光景をそれらしく伝えられるだろうがそんな語彙は持っていないし、恥ずかし過ぎるし、そもそもこの木の名前すら知らない。それよりも寝そべって木を下から見ていると枝がフラクタル状になっているのがよく分かる。ちょっとしたゲームのように部分と全体の相似を探していく。小さい枝を見てから全体に視野を広げる、逆に木全体を見てから細部にフォーカスする。それを繰り返しているとこの木を司っている構造が次第に見えてくる。〈木が有する幾何学性と詩性〉とか書くとほんとに小賢しいが、この時は、生まれて初めて木の構造が鮮明に意識された。

リチャード・パワーズの音楽小説『オルフェオ』にはスティーヴ・ライヒの「プロヴァーブ」の歌詞が度々引用される。こんな感じで。

——何て小さな思考が人生の全体を満たすのか／How small a thought it takes to fill a whole life!

この小説の主人公は架空の老いた現代音楽作曲家で、その道を極めようとする余りバイオテロの容疑をかけられアメリカ中を逃亡する。彼は学生時代に付き合っていた同じく作曲家志望の彼女のことを晩年まで引きずっている。小説内でいう「小さな思考」とは彼女への未練のことだ。高飛車で才能に溢れる彼女に認められたい、それがこの作曲家の生涯にわたるモチベーションの一つになっている。逃避行の最中、立ち寄ったカフェでライヒがかかっている。そうして「プロヴァーブ」が引用される。

木を眺めていたら二十一世紀の音楽家らしく、この一節がふと去来したのだった。したのだからしょうがない。小さな思考が人生の全体を満たすように、木々の細部に小さなルールが宿りそれが全体を形作っている。些細な考えが、フラクタル状に自分を支配してしまう。ベンチで仰向けになったまま凡庸な自分はそれを恐ろしくも素敵なことだと考える。

だけど、それだけじゃない。どんなルールにも必ず例外があって、完全にフラクタルな木なんて存在しない。枝葉を見ればルールと例外が同時にある。木を貫通する小さな決まりとそこからはみ出る枝や葉。「例外」がなかったら、いま手元にある『オルフェオ』は四〇七ページあるんだが、こんなに物語は長くなるだろうか（この二つのあわいを流れるものを詩性と呼ぶのだろう）。自分にはよく分からないが。それよりも、ぼくは人生に思いを馳せた上に、それは音楽のようだ、と思ってしまったのだった。マクロ視点でもミクロ視点でも、音楽にもルールと例外がある。ミニマルだったら反復されるフレーズのズレがもたらす効果は、作曲家が完全にコントロールできるものではない。恥ずかしいついでにもう一度書くが、木は人生のようだし、音楽のようだ。素晴らしいと思う。

今日は小田朋美の『グッバイブルー』を聴いていた。中でも「あおい風」という曲がとても気に入っている。車窓の景色が移り変わるようにコロコロと繰り返す転調、五月の街をエレガントに歩き回るような歌。

調性の中心を見失う。ドラッギーなほどに青々と茂った草木は遠近感を混乱させる。健康的なヤバさよ。

真理子のブルース

ようやく引っ越した。荷造りの時に本を鷲掴みにしてポイポイ箱詰めしたので、いざ新居で段ボールを開けてみると、お前誰だ……というものが出て来るので、人生で初めて本を出版社ごとに分類し五十音順に並べてみた。そこで——薄々知っていたけど——僕はエッセイの類をほとんど持っていないことに気づく。試しにそれっぽいものを取り出してみると……『ぼくがしまうま語をしゃべった頃』（高橋源一郎）、『平凡王』（高橋源一郎）、『SELDOM ILLEGAL 時には、違法』（坂本龍一）、『ピアニストに御用心！』（山下洋輔）、『遠い呼び声の彼方へ』（武満徹）、『ことばをもって音をたちきれ』（高橋悠治）……他にも何冊かエッセイを発見したけど、思い出深いものはこの程度の量だ（しかも高橋源一郎以外全員音楽関係だったじゃないか）。とにかく僕は月に何十、何百冊も読むような読書家ではないし、とはいえ何かしらの本を常に持ち歩きパラパラとページを繰るといった平均的な本好きなのだけど、人生で読んだエッセイは三十冊程度と思われる。

しかしながら、林真理子のことは忘れたことがない。エッセイの女王マリコハヤシ。坂本龍一をして「林真理子が好きそうな、あんなオペラは作りません」と言わしめたマリコ。倉林哲也という異能のシンガーソングライターで料理家がフェイバリットに挙げるMARIKO。

僕の母は林真理子と瀬戸内寂聴の愛読者だった。しかし母は少女時代から持ち歩いている世界文学全集以外ほとんど本を所有しない。残りは図書館だ。読書熱が高まっている時は毎週図書館に赴き、リビングのローテーブル下に借りてきた本を溜め込む。僕が中学にあがった頃、ソファに寝転んでテレビを見ていると、ちょうど手の届く場所にいつも本が積まれていた。ミルフィーユ状に構成されたタワー。林真理子、瀬戸内寂聴、林真理子、瀬戸内寂聴、林真理子、瀬戸内寂聴……とトーテムポールが形成されている。そこから、どちらを先に手に取ったのか思い出せない。「僕が初めて読んだエッセイは○○さんの本です」の○○にマリコと寂聴、どちらを代入したらいいのか永遠に謎のままだ。それはともかく、エッセイの二大女帝は、視力を○・七降下させるほど超スーパーテレビっ子でほとんど読書を知らない子供をブラウン管からとも簡単に引き剝がした。面白い。面白い。「あぶ刑事」や「シティーハンター」の再放送よりずっと面白い。タカとユージより、冴羽獠とカオリより、マリコ&寂聴のが面白い……しかし、この二人はコンビではない。自分の中でもし両者がバーサスするとしたら、寂聴が法話でどれほど聴衆をロックオンしようとも、僕の中では林真理子に軍配が上がる。それは以下のエピソードが二十年以上の時を経ても尚、僕の心に抜けない棘として突き刺さったままだからだ。

林真理子は一重瞼で生まれた。だが思春期になり、マリコ少女は少女漫画やテレビに出てくるアイドルのような二重瞼に憧れる。どうにかならないものか。彼女は知恵を絞り、情報を集め、ハンドクリームを瞼に塗ると二重になることを知る。そこで二ベアクリームのようなものを瞼に塗ってみる。確かに二重になるが、しばらくするとまた一重に戻ってしまう。しかし諦めない。根気よく毎日、毎日塗り続けた。それだけではなく、スプーン（ヘアピン、綿棒）で瞼を撫でて撫でて二重のラインを描く。ハンドクリームも塗り続ける。弛まぬ努力。「そうしたら、ある日なったのです！二重瞼に！」

遠い記憶なので自分が話を盛っているかもしれない。あるいはもっと強烈な話だったかもしれない。とにかくこれが僕のエッセイにおける原始の記憶だ。なんと哀愁と可笑し味に溢れた話だろう。ブルースだ。この話が書かれたのは林真理子が今よりずっとメディアに露出していた時期だったはずだ。芸人でもない日本を代表するエッセイストが、自身の瞼が如何にして形成されたか、その歴史を惜しげも無く披露していることにも驚いた。エッセイ的としかいいようがない面白さだ。

林真理子が紅白歌合戦で審査員を務める時にも、相撲観戦で見切れる時も、寂聴の誕生日パーティーに赴く時も、彼女の姿を見ると必ずこの瞼のブルースを思い出してしまう。ああ、あの瞼、と。さらにいえば街中でアイプチが取れかかった人を見かけても林真理子が頭を横切る。時には書店に陳列された関係ないエッセイを眺めている時にさえフラッシュバックする。もしかしたらこの話が好きすぎて僕はエッセイをほとんど読んでこなかったのかもしれない。問題は、多作家である彼女のどの本にこのエピソードが収録されているか分からないということだ。その本は数十年前に図書館に返却されてしまった。タイトルも失念した。恐ろしいけど検索窓に「林真理子　ハンドクリーム　スプーン」と打ち込んでみようか……やっぱり美しい思い出として記憶に留めておくのがいいのかも知れない。

珈琲ノスタルジア

珈琲家族は忘れられない。JR吉祥寺駅の中央口を出ると「サンロード」というアーケード商店街が北側に向かって伸びている。チェーン店と個人店が並ぶ街のメインストリートだ。入れ替わりが激しい街だが、そのサンロードの入り口脇は長い間サンドラッグが陣取っている。そこを左に入ると同じような商店街だが「ダイヤ街」と名称が変わる。サンロードが街の背骨ならダイヤ街は肋骨だろう。ダイヤ街に入って歩いていくとちょうど中央地点の右手に「レンガ館」という古いモールが現れる。そこの三階にかつてあったのが「珈琲家族」という喫茶店だ。

昔ながらの純喫茶ほどには古くもないし、カフェというには程遠い。公道を走るクラシックカーが現実感を欠くように、古過ぎる純喫茶は浮世離れの感が否めない（嫌いではないけど自分には関係がない世界）。新興のカフェは好きになろうと努力はするものの、馴染めずに足が遠のく。珈琲家族に漂うムードなら、「八〇年代のカローラ」というのが一番近いだろう。全てがちょうど良かった。古過ぎず新し過ぎない、適度な広さ、ダイヤ街を見下ろせる巨大なガラス窓。今思うと短い期間だったのだけど、高校時代から僕が二十二歳になるまでそこは仲間内の溜まり場だった。主な活動内容はディスクユニオンで買ったCDのリスニング、最近観た映画の感想の交換、恥ずかし過ぎる芸術論の披露、膨大な無駄話、つまりは学校より面白い学校、でも窓際の席に座ってダイヤ街を行き交う人を眺めるのが一番好きだった。一日に二度、三度行くこともある。無口な店主は、またお前（達）か、と呆れ顔をする。アイスコーヒー（三八〇円）の氷は砕かれていて、アイスクリームが乗っかっている。三八〇円が自分の物価基準だった。ドトール一八〇円ブレンドSは安い。サンマルクはもっと安い（しかし苦い）。スタバは話にならない（禁煙はありえない）。ある年の大晦日の夕方、知り合って日が浅い古川麦とばったり会って、買ったばかりのブルガリアンボイスのCDを聴かせてもらったのをよく覚えている（僕はアフリカの太鼓ものを聴かせた）。

ノスタルジーは止まらず、今こうして書いていてもテーブルの凹凸や、燻《くす》んだ銅の縁取りの感触すら手の中に蘇る（それに透明なパーテーション、レゴでできた巨大なドラえもん、電話室）。とはいえ、思い出を列挙しなくても僕が高校時代にやっていたバンド名がそのまま「珈琲家族」だったといえば、それで充分かも知れない。店は二〇〇六年に閉店した。試しに画像検索をしたら、店外からのショット一枚だけしか出てこない。考えてみればよっぽどのことがなければ画素数が低いガラケーでそこらの喫茶店を撮ることなんて滅多になかった。

宗教は阿片だ、といったのはマルクスだ。しかし神様ナシで生きる人間は多くいても、ノスタルジーは誰も避けられないドラッグだ。かつて戦地の兵士が患う脳疾患とさえいわれたノスタルジー。新しい恋人に昔の恋人の幻影を重ねてしまうように、珈琲家族は忘れられない。

転居先の駅前に良さげな喫茶店があるのに気がついたのは最近のことだ。僕は長い間、ドトール、エクセルシオール、タリーズを巡回してコーヒーを啜り、本を読み、時には原稿を書き、メールの返信をするようになっていた。今挙げた三店は好きなチェーンだ。不満がある訳ではない。だけど、もし、日常的に行けるイイ所があったらなあ、珈琲家族みたいな、と思いを募らせていた。そこで散歩していて見つけたのが駅前の喫茶店だ。性懲りもなく画像検索をしてみた。適度な広さ、新しくもなく古過ぎず、大きな窓、線路沿いの立地。何より同じではないが店名とあの特徴的なフォントがどことなく珈琲家族と似ている（念のためいっておくと珈琲貴族ではない）。

ヨシ。とある日、朝九時過ぎに僕は駅前の喫茶店へ向かった。珈琲家族の幻影を胸に、ノスタルジーをガソリンに、スピードを緩めることなく勇み足で店に入る。勢い余ってドアをかなり強く開けてしまう。と、同時に店内の人間が一斉にこちらを見る。僕はゲリラ兵のように一瞬で店の様子を………アレ？　なんか違う………確かに新しくも古過ぎるわけでもない。だけど、なんだろう……ムード、珈琲家族に漂っていたようなムードがない。少なくとも「八〇年代のカローラ」みたいなムードではない。それでも、あのムードを他店に求めるなんて傲慢の極みだ。とりあえず窓際のソファ席に座り店内を見渡す……結構狭い。想像してた三分の一くらいの広さだ。十畳くらいか。画像検索では気がつかなかったが、鏡の反射で店内が広く見えていたらしい。隣席ではジーパン、ジージャン、黒いキャップの七十代と思しき男性がスポーツ新聞を読んでいる。斜向かいのテーブルには老齢の女性とハンチングを被った五十代後半くらいの男性。そこで黒々としたウイッグを被りその上にバンダナを巻いた年齢不詳の女性が注文を取りに来る。とりあえずモーニングを頼む。大型テレビで朝のワイドショーをやっているが、僕は店内の情報を読み取るのに忙しい。隣席のデニム爺さん以外は常連のようで、店員のウイッグを交えて近況を話し合っている――老齢は最近肺炎になりここ一カ月タバコを吸っていない。長距離散歩が日課らしい。ハンチングは会社のタイムカードを同僚に押してもらって十時過ぎに出社していたが、最近バレたのでそろそろ行かないといけない。ウイッグは適当に合いの手を入れる。僕はモーニングのゆで卵を剝いて塩をふる。うまい。うまいが気まずい。卵をテーブルの端に打ち付けるのを躊躇するくらい、あまりに場が仕上がっている。僕は、一瞬でもここでマックブックプロを広げて仕事をしようと計画した自分を恥じた。そんなことは心臓に剛毛が生えている人間にしかできない。

テレビの時計は九時五十五分。ハンチングは五百円玉で支払うと会社へ出かけた。ウイッグと老齢は行ってらっしゃい、と声をかける。ドアが閉まったその時だ。突如、かなりの重低音がかなりの音量で僕のソファを揺らした。

「キムラのババァ、最近見ねぇなぁ！」

デニム爺だ。常連だったのだ。老齢に向かって話しかけている。驚くほどの低音と声量。キムラのババァとはかつての常連仲間らしい。

「あっのババァ、自分の考えばっか通すから仲間がいねぇんだよ！」

僕は吹き出すすんでで、口元まで持っていきかけていたコーヒーカップをそっとソーサーに戻した。

「キムラのババァ、家で壁に向かって喋ってんじゃないの？　ガハハハハハハ」

いけない。僕は口を結んで俯いた。と、そこでおもむろにデニ爺がジーンズのポケットから五百玉をテーブルの上に取り出す。それに気づいた老齢は
「お賽銭、ここにお賽銭あるよ～、ハハハハハ」

と、ウイッグに嬉々として伝える。僕は俯いたままだ。帰ろう。キムラのババァに幸あれ。

自販機の計画

自動販売機の前に立つ。飲み物は買わない。注視すべきは、三段に分かれた飲料のディスプレイ、各ドリンクにつけられた値札、その下部についてる半透明プラスチック製の購入ボタン、の内部に埋め込まれたランプ、が金を投入しない限り昼夜問わずビカビカ光る、アルゴリズムについてだ。ランプが光る法則性を読み込む。三段の縦ラインが揃って右から左へ明滅して進んでいくパターン。それを追いかけるように右から新たなラインが出現する。あるいは左右から縦ラインが同時に現れて反対方向に進んでいき中央でクロスする。あるいは最上段の右上から左に走っていき、二段目になるとまた右端から左へ流れ出す（リズムマシンのシーケンスのように）。あるいは数十秒見ていると法則性が浮かび上がる一見気ままなランダム系。一体自販機のランプの光り方にはいくつのパターンがあり、このアルゴリズムを誰が考えるのか。これをわざわざプログラミングするエンジニアがこの世のどこかに必ずいるという事実。今も街や山村や海沿いやパチンコ屋や殺人現場や校舎の下駄箱横やラブホテルやイオンモールの屋上に設置された自販機はそのランプをビカビカと光らせている。

一日に何度かは網走港の駐車場に設置された伊藤園の自販機と、鳥取砂丘近くに位置する売店「砂丘フレンド」に設置されたサントリーの自販機のアルゴリズムが完全に同期する。溢れる暗号。何か意味があるだろうか。「当たり」に確変を起こす徴候、社会主義革命に向けたメッセージ、今夜はオッケーサイン、地底人からの挨拶、四次元超空間に落ちた宇宙飛行士が送るモールス信号。飲料は飾りでしかない。問題は日本中に散らばったこのランプのアルゴリズムだ。しかし、これは罠かも知れない。自販機メーカー各社が結託して仕掛ける謀略。アキオがそれに気がつかなかったのは、あるいは気がついてしまったのは、悲劇としかいいようがない。

アキオは転勤族の息子として幼少時代は世界各国を転々としたが、証券マンだった父親が讃岐うどんに魅せられた関係で香川県高松市で学生時代を送った。聡明で読書好き、十二歳の誕生日に漱石全集をねだった時は両親も驚いたが半年経たずして読破した。十五歳のクリスマスの時は、家族が食べ終えたケンタッキーフライドチキンの骨を綺麗に洗ってからボンドで組み直し、冬休みの時間を使って鶏の骨格模型を完成させた。不良ではなかったが学校はサボりがちだった。その後、さりげなく進学校に進み、工学部の建築学科に入学。卒論のテーマは「金閣寺の耐火構造と三島由紀夫における筋肉強化の関係性」だった。あまりにアクロバティックな論理展開に教授陣は苦笑したが、頭のおかしい教授一人からのみ絶賛された。卒業後、製粉会社に就職するも、三十歳になったのを機に退職。かねてよりネットでポツポツと書いていた文章が編集者の目に留まり単発の仕事を得、それが連載に繋がる。アキオの肩書きはいつの間にかエッセイストになっていた。機知に富んだ独自の語り口、示唆的なセンテンス、大胆な話の運び方、何より多くのエッセイストと同じく、見過ごされてしまいそうな日常の機微への着眼が評価された。

ある日、アキオは駅のホームで缶コーヒーを買おうと自販機の前に立つ。小銭がない。交通系ICカードの残額も僅かだ。なので、ただ自販機を眺めた。それしかすることがなかった。そこで彼がランプのアルゴリズムに目がいかない訳がない。一分、十分、一時間。何本もの電車が過ぎて行ったがアキオは自販機の前に釘付けになった。四時間を過ぎた頃、彼は突然何か呟いたかと思うと電車に飛び乗ってどこかへ消える――数日後、アキオは網走港で水死体となって発見された。殺人の可能性も疑われたが、毛ガニが入った発泡スチロールの上蓋に遺言が見つかったことで自殺と断定された。赤いマッキーでこう書いてある。

〈アルゴリズムを解読　オホーツクに夭死せよと読ム　アキオ〉

遺族は「アルゴリズム」を毎日必死に考えたが見当もつかない。変わったところはあったけど聡明な子だったし、ただただ若すぎる死を惜しんだ。その代わりに遺骨を綺麗に洗ってからボンドで組み直し、アキオの骨格模型を完成させた。彼は自販機メーカーの罠にはまったのだろうか。あの自販機のアルゴリズムは自分に天啓を授けるものだとアキオは思ったのだった。ちょうど占星術師にとっての星の配置のように。

その時、鳥取砂丘近くに位置する売店「砂丘フレンド」に設置された自販機が21

12回激しく点滅を始めた。観光に訪れていた埼玉県川口市在住の退役軍人ケサジ（97歳）は、

「2・1・1・2！　2・1・1・2！　おおよそ、2・1・1・2《ずいひつ》じゃ！　随筆じゃ！　エッセイじゃ！　自動販売機から〈エッセイ〉との伝令であります！」

と叫んだが、誰からも相手にされなかった。

「37回　宇　　ンチ」

手話ニュースが好きだ。特に深い意味はない。BGMがなく、キャスターの私見もなく、余計な編集が施されていないので分かりやすいから、というシンプルな理由だ。それに手話をほとんどポルトガル語程度しか解さない自分は（「こんにちは」と「ありがとう」のみ）ニュースの内容に照らし合わせ気合いで解読してみる。あの手の動きに言語が埋め込まれている、という魔法めいた感慨を抱くのは、手話を操る人にとって心外なことだろうか。それはジャズメンの演奏に感情的な賞賛しか送らない批評家の態度に似ている気がする。

そんな折、新元号が発表された。テレビの中継では、その元号が書かれた額縁が掲げられたところにちょうど手話のワイプ映像が被ったことが、そこかしこでミームとなっている。僕は気合いで手話を解読する。「め・い・わ」と。興奮気味なアナウンサーもそう言った。

数分後、LINEが来た。筑摩書房の編集者K氏からだ。

「どうします?」(既読)
「何をですか?」(既読)
「年号、追加しますか?」(既読)
「ああ。ちょっと考えます」(既読)

僕はエッセイを書いている。正確には、webちくまが試験運用中の「文章自動生成システム(Sentence Automatic Generator)」の試験台としてアルバイトをしている。通称「SAG」という(人工知能が搭載されているらしい)。これに僕の基本的なデータが与えてあってそれらをもとに毎月、何パターンかの文章が出力される。ところで「SAG」には何か意味があるのだろうか。英和辞典によれば「沈下する・陥没する」「乱れる」「落ちる」の他に「〈本・劇などが〉面白くなくなる、中だるみする」とある。なんて幸先の悪いネーミングだ。開発者の皮肉だろうか。出版社の人間がその意味を知らないはずがない。

　ささやかながら最初に自分がした仕事はK氏への細かなプロフィールの提出である。あとは「更新日」として年に二回、筑摩書房へ赴き、最近気になったトピックを口頭で伝える。K氏がそれを聞き取り、メモ用紙に書き付ける。それらの情報は新たにSAG内に追加される。たとえば「あらうちゅう」という文字列から「うちゅう」が出力され、ノラ犬が実家の庭に迷い込んだ昔話から「野良ん家」が出力され、それらをもとにこの連載のタイトル「宇宙のランチ」は決まったらしい。僕はその名前が気に入っていないのだが、自分に文句を言う権利なんてないだろう。ただし、K氏曰く、このSAGは、ただ情報を蓄積していくだけではなく、学習機能があり「自動的に話法が変わっていく」らしい。ディープラーニング以降の「らしい」や「っぽい」を表現できる人工知能なのである。確かに初期段階において出力された「宇宙のランチ」こそヒドいものの、その話法は次第に自分らしくなってきたような気がする。

　そして時折、社会で大きなトピックがあるとこうしてK氏からプログラム内に新情報を追加するか否かについて連絡が来るのだ。しかし、そんなものをいちいち追っていたらありふれた社会時評のようになりかねないので慎重に判断せねばならない。

今日はプログラムの更新日なので、僕は会議室の片隅で以下の話をK氏にしている。


こないだ、腹が減っていたので「日高屋」に倒れこんだんすよ。正確には「熱烈中華食堂 日高屋」なんですけど。知ってます？ 壁面に「HI-DAY 日高屋」と書かれているの。あの店の言語センスってスゴイんすよ。「熱烈中華食堂」に漂う「魁!!男塾」とか「もーれつア太郎」のような、昭和の少年誌みたいな、景気の良さが好きなんです。勢い！みたいな。最高です。だけど、それだけじゃなくて、メニューを見て気づいたんです。「ラ・餃・チャ」セットに。ヤバくないですか。日本全国、いや世界中どこへ行っても「ラーメン」を「ラ」って略す店なんて「日高屋」だけですよ。「ーメン・子・ーハン」どこ行ったんだヨーっていう。ーメンザーハン、なんか下ネタっぽいゾーっていう。だって、筑摩書房のことを「ち」っていうのと同じですよ。

ヒヒヒヒヒヒヒ。

速記の資格を持つK氏は一字一句漏らさず、僕が七回「ヒ」と発したのをメモしてから「素晴らしい」とだけ言ってペンを置いた。「今日はもう結構です。お疲れ様でした」と、ピーターラビットが描かれた図書カード二千円分を手渡された。いつもキャッシュが欲しいのだが、本をもっと読めということなのだろうか。

僕はため息をついた。

「あの、今更なんですけどやっぱり、これって僕が書いていることにはならないですよね？」

K氏の口元に一瞬嘲笑のようなものが浮かんだ気がしたが、すぐにいつもの穏やかな表情に戻った。

「どうでしょう、あなたの話は夢の原料のようなものです。一口に自動生成といってもSAGの場合はちょっと違うんですね。人工知能も夢を見ます。SAGが起きている時にあなたの近況やらを入力する。そうするとスリープモードになった時にいくつか夢を見ます。日中起きたことが変質して我々の夢に出てくるのと同じ仕組みですね。ただ、人間の夢は映像ですが、SAGの夢は文字です。ここが他の人工知能と異なるところです。夢はコントロールできません。この夢が「宇宙のランチ」です。なので、あなたが書いているとも、ＳＡＧが書いているとも断言できないのです」
　そういうとＫ氏は会議室に併設された部屋へ下がっていった。ただの自慢話だった気がするが、僕は話し疲れたのでしばらくの間、窓の外を見ていた。天気が良い。夏の気配すら感じるので、携帯で「五反田　ピンサロ　二千円　ポッキリ」と検索したその瞬間、奥の部屋からＫ氏の小さな叫び声が聞こえた気がした。コーヒーでもこぼしたか。五反田へ行くつもりだったが、そういえば奥の部屋へ入ったことがないなと思い、興味半分に部屋をノックしてみた。返事がない。再びノック。無音。大丈夫ですかぁ。無反応。意を決してそっとドアを開ける。

　予想に反して、そこは窓がない四畳半の真っ白な部屋だった。誰もいない。ちゃぶ台の上にはメモが散乱し、市販のノートパソコンが置かれている。画面は真っ暗だ。マウスを触るとスリープが解け、意味不明な記号と共に、今しがた僕が話した内容がそのまま表示された――「ラーメン」を「ラ」って略す店なんて「日高屋」だけですよ。「ーメン・子・ーハン」どこ行ったんだヨーっていう。ーメンザーハン、なんか下ネタっぽいゾーっていう――。

「これがＳＡＧか」と僕はひとりごちた。意外にも初めてＳＡＧを見たので、こんな粗末なシステムで文章が自動生成されるのかと多少の驚きと屈辱感を覚えた。もっと巨大で金がかかったスーパーコンピューターのようなものを想像していたからだ。画面をスクロールしていくと既に何パターンものエッセイが出力されている。その中の一つに目が止まった。

「　37回　宇　　　　ンチ」

いくらほとんど仕事をしていない僕でもこんな快便自慢みたいなタイトルが世に出るのは不本意だ。これが人工知能の夢なのか？　まあ、とはいえ、他に出力された文章を選べばいいだけだ。怒ることではない。その為には　　　を探さなければならない。どこかに隠し扉がないだろうか。こんな密室で消えるとは。一体、　　　はどこへ消えた。埒が明かないのでＬＩＮＥしてみた。

「あの、どこいます？　37回宇ンチはさすがにキツイのですが」（未読）

携帯を出してようやく気がついた。いや、実はうすうす感づいていたが　の名前がさっきから表示されない。　本人がどこかへ消えてしまったと思ったら、携帯の　も表示できなくなってしまった。ＬＩＮＥの返事も来ない。なぜだ。あの歯抜けになったタイトルといい文字が消えていくようだ。まるで日高屋じゃないか。僕は少しためらってから、「ラ・餃・チャ」で略された文字を組み替えて口にしてみた。一般的にそれは精液の俗称である。「　　　！」ダメだ。今一度、大声で。

「　　!!」「　　　!!!　　　!!!」

予想通り、文字が消えていっている。しかしながら、「ラ・餃・チャ」とは関係がない、あの速記が得意な　が消え、タイトル文字が欠落して快便状態になっているのはなぜだ。悪い夢でも見ているようだ。

「ＳＡＧには学習機能がある」と　が言っていた。そうか、そうか、「ラ・餃・チャ」のプログラムを学んだことで、自動的に全ての文字が消えるようになったんだな……なんてこった！　自滅だ！　きっと他の言葉も消えてなく　に　い　い。「ラ・餃・チャ」以外　は生成できな　だ。既　消え始　て　。いけす

かな　アルバイト　奴　とっく　消　。これは　　　の夢だ。気が　り　は、筒
　隆「残　に　紅を」のパ　クり　になて　まう　　。でも　　も
も消　　。　　　も消　た。仕方　。図　も　っしっ　よう　。い　れあ
　　　　　くだ　。　　　　　　　。

　ラ・鮫・チャ　ラ・鮫・チャ　ラ・鮫・チャ

　ラ・鮫・チャ

ラ・餃・チャ　ラ・餃・チャ　ラ・餃・チャ　ラ・餃・チャ　ラ・餃・チャ
ラ・餃・チャ　ラ・餃・チャ　ラ・餃・チャ　ラ・餃・チャ　ラ・餃・チャ　ラ・
餃・チャ　ラ・餃・チャ　ラ・餃・チャ　ラ・餃・チャ　ラ・餃・チャ　ラ・餃・チ
ャ　ラ・餃・チャ　ラ・餃・チャ　ラ・餃・チャ　ラ・餃・チャ　ラ・餃・チャ
ラ・餃・チャ　ラ・餃・チャ　ラ・餃・チャ　ラ・餃・チャラ・餃・チャ　ラ・餃・
チャ　ラ・餃・チャ　ラ・餃・チャ　ラ・餃・チャ　ラ・餃・チャ　ラ・餃・チャ
ラ・餃・チャ　ラ・餃・チャ　ラ・餃・チャ　ラ・餃・チャ　ラ・餃・チャ　ラ・
餃・チャ　ラ・餃・チャ　ラ・餃・チャ　ラ・餃・チャ　ラ・餃・チャ　ラ・餃・チ
ャ　ラ・餃・チャ　ラ・餃・チャ　ラ・餃・チャ　ラ・餃・チャ　ラ・餃・チャ
ラ・餃・チャ　ラ・餃・チャ

ラ・餃・チャ　ラ・餃・チャ　ラ・餃・チャ　ラ・餃・チャ　ラ・餃・チャ
ラ・餃・チャ　ラ・餃・チャ　ラ・餃・チャ　ラ・餃・チャ　ラ・餃・チャ　ラ・
餃・チャ　ラ・餃・チャ　ラ・餃・チャ　ラ・餃・チャ　ラ・餃・チャ　ラ・餃・チ
ャ　ラ・餃・チャ　ラ・餃・チャ　ラ・餃・チャ　ラ・餃・チャ　ラ・餃・チャ

ラ・餃・チャ　ラ・餃・チャ　ラ・餃・チャ　ラ・餃・チャ

　ラ・餃・チャ　ラ・餃・チャ　ラ・餃・チャ　ラ・餃・チャ　ラ・餃・チャ　ラ・餃・チャ　ラ・
餃・チャ　ラ・餃・チャ　ラ・餃・チャ　ラ・餃・チャ　ラ・餃・チャ　ラ・餃・チ
ャ　ラ・餃・チャ　ラ・餃・チャ　ラ・餃・チャ　ラ・餃・チャ　ラ・餃・チャ
ラ・餃・チャ　ラ・餃・チャ　ラ・餃・チャ　ラ・餃・チャ　ラ・餃・チャ　ラ・
餃・チャ　ラ・餃・チャ　ラ・餃・チャ　ラ・餃・チャ　ラ・餃・チャ　ラ・餃・チ
ャ　ラ・餃・チャ　ラ・餃・チャ　ラ・餃・チャ　ラ・餃・チャ　ラ・餃・チャ
ラ・餃・チャ　ラ・餃・チャ　ラ・餃・チャ　ラ・餃・チャ　ラ・餃・チャ　ラ・
餃・チャ　ラ・餃・チャ　ラ・餃・チャ　ラ・餃・チャ　ラ・餃・チャ　ラ・餃・チ
ャ　ラ・餃・チャ　ラ・餃・チャ　ラ・餃・チャ　ラ・餃・チャ　ラ・餃・チャ
ラ・餃・チャ　ラ・餃・チャ

ラ・餃・チャ

南風の吹く七日間とオリンピック

今は二〇二〇年の二月で、中野区に引っ越して四カ月が経った。平日の昼間から公園のベンチでコンビニのパンをかじったり、ドカチン弁当をかっ込んでいようと誰も気にしないのが、この街の好きなところだ。近所の公園に行くとだいたい警備員や大工、ドライバー、職業不明な者、ホームレスがベンチや地べたに座って昼食を取っていて、その中にいると平穏な気持ちになれる。以前住んでいたところは東京のもっと郊外で——不動産屋がいうところの閑静な住宅街——昼時にフラついているだけで、自分のようなフリーランスはちょっと浮いてしまうような場所だった。公園のベンチでコンビニ弁当を食べていると道行く人の視線が痛い。「閑静な住宅街」というのは自分には酸素が薄い場所に思えて、時に宇宙空間で昼食をとっているような気分になるのだった。なので、理由は他にもあったのだけど引っ越すことにした。

この四カ月の間にも変化があった。個人経営の喫茶店通いを画策していたのだけど、夢破れてドトール通いに舞い戻った。家の近場で良さげな喫茶店はいくつかあったものの、日常的に通ってPCを広げるにはやはり敷居が高く感じられる。だったらドトールだ。ドトールはメニューも内装も客層も値段も全てがさり気なくてイイ。ブレンドのSが一八〇円だった高校時代から通っている。その後何回かの値上げを経て現在ブレンドSは二二四円なのだけど、ドトールの商品に端数がつく違和感は拭えない。タバコ事情も変わった。多くの飲食店と同じく、自分の記憶ではドトールには喫煙、禁煙席の区分けがそもそもなかったはずだが、次第に分煙になり、今は東京オリンピックに向けて全席禁煙化が進められている。その代わりに喫煙ブースが併設されるようになったので席を離れてタバコを吸うようになった。飲食店が全面禁煙の都市、ニューヨークやソウルは店の前に吸い殻が散乱している。だけど路上喫煙には寛容というか、日本ほどスモーカーを隔離したがる傾向はない。とはいえ、わざわざ店の外へ出るのもそれはそれで面倒なので日本の喫煙ブースもそこまで悪くないと思っている。

もう一つ変わったことがあった。ついこないだ、近所をほっつき歩いていたら頭上をジェット機が通過していった。香港のアレほどではないけれども、やけに低空を飛んでいく。その本数というのが尋常じゃなく多い。帰路につく間、三十秒に二、三本は頭上を通過していき、すれ違う子供たちは「ひこうきだ」と空を見上げている。航空経路が変わったのだろうか。そんなニュースも見た気がする。帰宅してから中野区、飛行機、経路、で検索してみた——東京オリンピック・パラリンピックに向けて羽田空港の国際線発着便を増加させるため試験的に新飛行経路の運用を開始する。その経路に中野区上空が含まれる。年間で三万九千回増加。その際、航空機の最も低い高度は、約三〇〇〇フィート(約九〇〇メートル)——引っ越したばかりなのに騒音に悩まされるのか。ぼくは頭を抱えた。だから、オリンピックなんて何にもいいことないじゃないか。やめればいいのに。しかし、それとは裏腹に、中野区ホームページの次の一節はどうしようもなく魅力的だった。

「2020年(令和2年)2月1日から3月11日までの間の南風の吹く日において、

7日間程度中野区上空を羽田空港到着便が通過する予定です」

南風の吹く七日間。それが試験運用の実施条件らしい。確かに自分の頭上を何本もジェット機が通過していったその日は暖かかった。そういえば気流によって飛行機は経路を変える。南風が中野から羽田へ向かう便の追い風になるのだろう。そう考えている間にも、自宅の窓から何本もジェット機が飛んでいくのが見える。夕方になってもその数が減ることはなく、ぼくは飛行機が通るたびに窓際まで駆け寄って機体とその経路を観察した。高度が低いものなんか尾翼に「ANA」と書かれているのがはっきり見て取れる。なんて暇人なのだろう自分は、と思いつつ、いつの間にか夢中になっていた。暗くなるにつれて航行灯の輪郭がはっきりしてくると、次第に本数が減っていき、夜には一本も通過しなくなる。もう来ないのか、と少し落胆しながら変な既視感を覚えた。あたかも老人になった未来の自分が今を回想しているようなデジャヴュだ。一九六四年の東京オリンピックに向けて、首都高が開通するはずの空を見上げた人々の眼差しを幻視するような感覚（首都高計画は当時「空中作戦」と呼ばれたらしい）。航空便だけではない。引っ越しも、ドトールの分煙と値上げも、オリンピックすらも何か遠い過去のことのように感じた。現在や未来を懐かしく感じる現象に呼び名はあるんだろうか。ジェット機が中野区の上空を通過する度に暖かくなってくる。これが毎日だったら騒音で発狂するだろうか。今年はどんな夏になるだろう。

初出

本書は「ｗｅｂちくま」にて２０１６年10月から２０１９年５月まで連載された「宇宙のランチ」に大幅な加筆、修正の上、書籍化しました。

「By chance,David」は「月刊ラティーナ」（２０１８年10月号）に掲載されたものに加筆、修正し収録しています。

「小鳥たちのボイジャー計画」「秘儀」「イメージの本の亡霊」「ピルグリム」「Ａになる」「真理子のブルース」「珈琲ノスタルジア」「自販機の計画」「南風の吹く七日間とオリンピック」は書下ろしです。

荒内佑（あらうち・ゆう）
音楽家。バンドceroでは多くの楽曲で作曲、作詞を手がける。その他プロデュース、楽曲提供、Remixなども行っている。

小鳥《ことり》たちの計画《けいかく》

二〇二〇年四月二〇日　初版第一刷発行

著　者　荒内佑
発行者　喜入冬子
発行所　株式会社筑摩書房
東京都台東区蔵前二-五-三　郵便番号　一一一-八七五五
電話番号　〇三-五六八七-二六〇一（代表）
協　力　藤田塁
編　集　窪拓哉
印刷製本　中央精版印刷株式会社

ISBN978-4-480-81549-1 C0095